VIVRE AVEC LES CHINOIS

PHILIPPE ROCHOT

VIVRE AVEC LES CHINOIS

Un Français dans l'Empire rouge

l'Archipel

www.editionsarchipel.com

Si vous souhaitez recevoir notre catalogue
et être tenu au courant de nos publications,
envoyez vos nom et adresse, en citant ce
livre, aux Éditions de l'Archipel,
34, rue des Bourdonnais 75001 Paris.
Et, pour le Canada, à
Édipresse Inc., 945, avenue Beaumont,
Montréal, Québec, H3N 1W3.

ISBN 978-2-8098-0051-7

À Martine, Delphine, Caroline et Justine
qui ont toujours eu la patience de m'attendre,
en Chine et ailleurs...

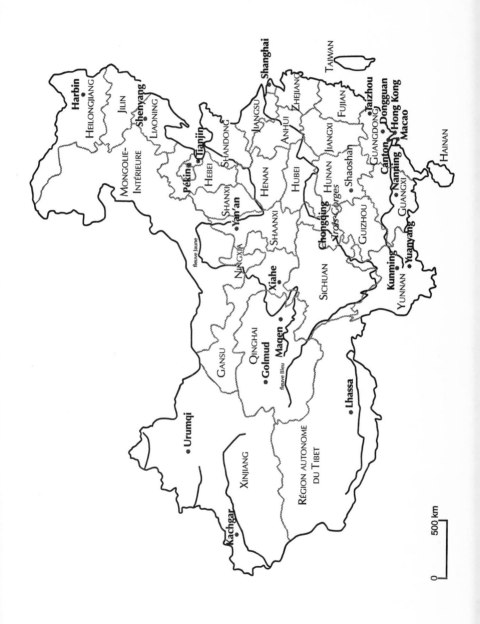

Sommaire

Carte 9

Avant-propos 15

Introduction 19

1. Parachutage sur un nouveau monde 23
Étranger, donc montré du doigt 25
Où l'auto chasse le vélo 28
La langue comme casse-tête chinois 30

2. « Gueules noires » et « petites mains » 33
Objets de joie fabriqués dans la peine 35
Le sombre destin des mineurs de fond 38
La grande migration des congés chinois 41

3. Anciens pauvres et nouveaux riches 45
Milliardaires mais communistes 48
Vacances auprès des dieux 52

4. Les grands chantiers de la Chine 53
Cités brisées 55
Un prétendu modèle pour la terre entière 57

5. Business et pollution 63
Sauver le dauphin blanc 64
L'Occident jugé responsable de la pollution
   chinoise 66
Les damnés de l'électronique 68

**6. JO 2008, ou la vie à l'envers des habitants
de Pékin** 71
Détruire sans préavis 73
Étouffer les plaintes 77

7. La cicatrice Tiananmen 81
Rencontre avec la « secte maléfique » 83
Un réveil nationaliste 87
Grand-messes communistes 89

8. Les soldats rouges de l'information
(ou comment les Chinois sont informés) 93
Un milliard de téléspectateurs 95
Où l'oiseau est toujours en cage 97
Sous l'œil des vigiles de l'information 100

9. Entre Dieu et le Parti, le renouveau
de la foi 103
Église du silence et Église patriotique 104
« Donnez cet enfant à Dieu ! » 108
Musulmans, mais Chinois 111
Pour faire comme les Arabes… 115

10. Des enfants pas si uniques 121
La maladie des six amours 125
Adopter des fillettes ou des handicapés 128
Appréciez les filles !… 132

11. Campagnes en révolte 137
Reportage « clandestin » et autocritique… 140
Bataille rangée 143

12. Au pays de toutes les amours 147
La prostitution comme élément du taux
de croissance… 150

13. Épidémies et secrets d'État 155
Pour le petit bonheur 156
« Vous allez mourir ! » 159
Des sidéens plus présentables 162
La bataille du Sras 165
Pékin ville morte 170
Dix mille Chinois en quarantaine 175
Dans les griffes des poulets 177

14. Quand le Tibet s'éveillera 181
Lhassa ville chinoise 183
À travers le « Tibet historique » 186
À bord du train du « Toit du monde » 189
Des moines et des couteaux 193

15. Minorités en sursis 199
La « folklorisation » des minorités 200
La langue comme défense de l'identité 202
La phobie du séparatisme 205

16. La deuxième vie du président Mao 209
La mode du « tourisme rouge » 211
Nanjie, entre Staline et Marx 214

17. Combats pour les droits de l'homme 219
La cybercontestation 223
Avocats aux pieds nus 226
Dix mille exécutions par an 228

18. L'Empire hors du Milieu 235
Le rêve américain 238
Pardonner à l'histoire 239
Faut-il mourir pour l'Amour ? 242
« À bas les têtes de chien français » 244
La diplomatie française dans la bataille du Sras 247
Clandestins et « têtes de serpent » 251

Conclusion : Y a-t-il une vie après les Jeux ? 257

Avant-propos

Au commencement était l'Asie. Je n'imaginais guère me lancer dans le reportage sans m'orienter vers ces pays qui faisaient l'actualité quand j'étais sur les bancs de l'école de journalisme de Lille : guerre au Vietnam, révolution culturelle, offensive des gardes rouges et réforme agraire dans la Chine de Mao. Ces bouleversements alimentaient même les discours enflammés des étudiants de la Sorbonne en mai 68 quand ils occupaient les amphithéâtres bondés d'une université française en pleine révolte, et j'aimais ce spectacle.

Nous pensions alors que, quelque part en Chine, des paysans, des ouvriers, des étudiants avaient tourné une page que nous n'osions pas encore lire, celle d'une nouvelle révolution des temps modernes... Mais personne ne disait ou ne savait que le « grand bond en avant » avait déjà fait des millions de morts, que la grande famine sanctionnait la politique de Mao et les résultats de sa bataille pour se maintenir au pouvoir. Nous ignorions tout de la vie des Chinois.

Pour effectuer mon service national, je voulais partir vers l'Asie, dans un journal du Laos, du Vietnam ou du Cambodge, au titre de la coopération. Mais le Quai d'Orsay m'a rapidement fait savoir que ce genre de poste n'existait pas. On me proposait l'Arabie saoudite et la création des émissions en langue française à la radio nationale.

Le printemps 1970 était l'époque où le roi Fayçal venait de suspendre l'enseignement du français dans les écoles, et le monarque voulait donner à notre pays un lot de consolation en montrant qu'il n'oubliait pas la France. J'ai accepté, sans me rendre compte que, quelque part, ce serait pour moi le début d'un long itinéraire vers la route de la soie qui allait me conduire sur les chemins de Damas, de Perse, d'Afghanistan, de la Chine musulmane et, finalement, vers les capitales de l'ancien Empire, Xian, Kaifeng, Pékin.

J'ai encore en mémoire l'arrivée à Djedda des pèlerins chinois partant pour La Mecque. Ils n'étaient pas nombreux. Pékin délivrait très peu d'autorisations à ces croyants pour aller faire le pèlerinage et, de son côté, le royaume d'Arabie filtrait les entrées. La Chine communiste a toujours fait peur aux souverains saoudiens. Pour ces monarques qui se présentent comme les « gardiens des lieux saints de l'islam », le communisme est la marque du diable. Il faut le rejeter. Tout étranger devait d'ailleurs signaler sa religion pour obtenir un visa. Il s'agissait d'abord de faire barrage aux juifs voulant entrer en Arabie, mais aussi aux rouges, car un communiste n'a pas de croyance déclarée et ne peut pas prétendre fouler le sol du royaume. Les quotas de pèlerins venus de la Chine rouge étaient donc très faibles pour un pays qui comptait déjà, à l'époque, plus de dix millions de musulmans. J'ai pourtant voulu, en rencontrant ces hommes au calot blanc, remonter leur itinéraire, les voir vivre dans leur pays et, à travers eux, découvrir la Chine.

Trente années ont passé depuis ce séjour en Arabie, trente années pendant lesquelles j'ai couvert, pour la deuxième chaîne de télévision, la plupart des crises qu'a traversées le monde musulman : révolution iranienne et guerre d'Irak, révolte des Kurdes, intervention soviétique en Afghanistan et prise du pouvoir des talibans, conflit israélo-palestinien... Ma route de la soie fut au bout du compte semée d'embûches et de révoltes qui m'ont même conduit à passer plus de cent jours dans les prisons des intégristes libanais avec mon équipe de reportage, en 1986, alors que nous tentions d'expliquer pour Antenne 2 pourquoi des Français se retrouvaient otages sur cette terre amie.

La Chine était donc pour moi un aboutissement. Je n'ai pas cessé d'en suivre l'évolution depuis cette époque où les gardes rouges faisaient partout régner la terreur. Car qui n'a pas eu de fascination pour ces foules qui vibraient pour Mao, les débordements de la révolution culturelle, le procès de la « bande des Quatre », le mouvement de 89, les bouleversements du passage à l'économie de marché d'un pays communiste ou la conquête de l'Ouest ?

Avec la Chine et son milliard trois cent cinquante millions d'habitants, tout prend une autre dimension. J'étais curieux de voir comment on peut conduire et gérer le pays le plus peuplé de la planète.

Introduction

L'Occident prend conscience que son avenir dépend de plus en plus de la Chine et de son développement économique, harmonieux ou non. Mais l'image du pays reste encore très floue. On retient, en vrac, le massacre de Tiananmen, la contrefaçon, l'offensive des fabricants chinois du textile sur l'Europe, l'enfant unique, les nouveaux riches, le costume Mao ou l'étouffement du Tibet. Tout cela est vrai, mais ces données restent très schématiques car les Chinois manipulent l'information afin de faire bonne figure sur la scène internationale, et les bouleversements de l'Empire rouge nous déroutent la plupart du temps.

On présente souvent la Chine comme un eldorado où les nouveaux riches sont de plus en plus nombreux, où les constructions démesurées, réalisées par de jeunes architectes pleins d'avenir, envahissent les paysages urbains. Mais c'est oublier que plus de cent millions de Chinois vivent encore avec moins de un dollar par jour, en dessous du seuil de pauvreté. La Chine reste un pays pauvre avec des îlots de richesse.

La politique d'ouverture permet aujourd'hui de mieux cerner la vie des Chinois et les bouleversements de leur société : condition ouvrière et vie des migrants, richesses de certaines cités et misère des campagnes, ordre militaire et mise au pas des minorités, grands travaux et catastrophes, superstitions et renouveau religieux.

Les Chinois, qui commencent seulement à voyager dans leur propre pays, me disent souvent : « Vous connaissez la Chine mieux que nous ! » Mais eux connaissent l'âme chinoise mieux que moi. Leur comportement nous désoriente, leur mentalité nous échappe, leur raisonnement aussi. Les Chinois sont devenus des êtres de l'instant qui veulent tout, tout de suite, alors que, dans les siècles passés, ils avaient avec eux le temps et la patience. Leur croissance économique leur a donné le vertige. À nous aussi, d'ailleurs.

À chaque fois que la Chine progresse dans un domaine, nos craintes augmentent. Les oies chinoises menacent, dit-on, le foie gras français, la truffe ne sera plus produite en France mais au Yunnan, les jouets chinois mettent en danger la vie de nos enfants, la chaussure française est en voie de disparition puisque même les Chinois se mettent à fabriquer des produits de luxe. Tous ces éléments font que l'Empire rouge est perçu par une majorité d'Européens et d'Américains comme une menace beaucoup plus que comme une opportunité.

L'image de la Chine « atelier du monde » s'ancre donc un peu plus chaque jour dans nos esprits. Non seulement les Chinois fabriquent la plupart des produits que nous utilisons au quotidien, mais ils commencent à copier notre mode de vie.

Aujourd'hui, les Chinois font du golf, les Chinois font du ski et même de la voile, les Chinois font du foot. Ils boivent aussi notre vin. Tout cela étonne car les clichés qu'on a sur la Chine présentent plutôt ses habitants comme jouant au ping-pong, pratiquant le tai-chi traditionnel et buvant de l'alcool de riz. En gros, ils deviennent comme nous...

Durant les six années que j'ai passées en Chine, mon regard a surtout été attiré par le choc entre le progrès économique et la misère, entre l'industrialisation et le mode de vie ancestral sous lequel a vécu le pays durant des siècles, entre le développement anarchique ou encore la tentative de survie des minorités du Tibet, de Mongolie ou de Chine du Sud. Les peuples des campagnes, les ethnies perdues subissent comme les autres le contrecoup du développement et réagissent à leur manière. Mais tout le monde est loin de partager le « gâteau chinois » alors que le système se réclame d'une répartition équitable des richesses du pays.

Aujourd'hui, nous avons le plus grand mal à définir le régime politique de la Chine : communiste ou capitaliste ? Officiellement, il se veut toujours communiste et ne se prive pas d'exposer ses drapeaux rouges à la moindre occasion, avec l'emblème de la faucille et du marteau. L'histoire de la République populaire s'est d'abord bâtie sur cette doctrine, même si Karl Marx ne s'y reconnaîtrait plus. Renoncer au communisme, ce serait renier son passé et, finalement, perdre la face.

Le pouvoir continue donc de se retrancher derrière le mot « peuple » dans la conduite de sa politique économique et sociale, alors que la Chine est sans doute le pays du monde où il y a le plus d'écart entre les riches et les pauvres et où les inégalités sont les plus criantes. Ensuite, l'appareil répressif du Parti permet de contrôler plus de un milliard de citoyens, dont cinquante-cinq minorités différentes, et d'étouffer ainsi toute velléité d'indépendance pouvant déstabiliser l'Empire rouge. Des côtes de la mer Jaune aux montagnes du Pamir et de la Mongolie à l'île de Hainan, le pouvoir communiste parvient ainsi à tenir un territoire qui couvre dix-sept fois la France.

La Chine a tiré la leçon de l'éclatement de l'Union soviétique. Elle ne veut pas entendre parler *glasnost* ou de « transparence », selon l'expression chère à Mikhaïl Gorbatchev qui allait entraîner la dislocation de l'URSS.

En Chine, pas de *perestroïka*, pas de « restructuration ». La plus grande frayeur du pouvoir reste la revendication à l'indépendance des provinces turbulentes, surtout le Tibet et le Xinjiang. D'accord pour l'ouverture économique, mais pas de concessions aux « séparatistes », répète régulièrement le pouvoir.

L'Occident croit souvent que l'ouverture économique de la Chine se fait de concert avec une ouverture en termes de libertés de circulation et de l'information. Il n'en est rien. Le Parti a entamé des réformes mais il en a aussi fixé les limites et il s'y tiendra. Il en va de sa survie.

Pendant six ans passés dans ce nouvel empire, j'ai pu voyager dans une quinzaine de provinces. Je ne pensais pas pouvoir circuler autant sur cette terre en plein bouleversement, où pesaient encore de nombreux interdits. J'ai voulu montrer ici comment « fonctionnent » les Chinois, et expliquer comment ils réagissent face aux transformations radicales de leur pays et de leur société.

1

Parachutage sur un nouveau monde

N'entre pas qui veut dans l'Empire rouge quand il est journaliste. Mon visa a été négocié par ma rédaction et l'ambassade de Chine à Paris. Il est frappé de la lettre « J », comme journaliste, et n'est valable que trois mois. Nous sommes pourtant à l'automne 2000, et la Chine a déjà la réputation d'être un pays qui s'ouvre. Mon épouse, Martine, et ma fille de onze ans, Justine, ont reçu le même visa : « journaliste », apparemment pour que toute la famille ait le même statut. C'est la plus sensible et la plus restrictive parmi les cinq catégories de visas qu'attribue la Chine.

En ce début de siècle, les étrangers ne peuvent toujours pas résider n'importe où, ni même dormir dans n'importe quel hôtel. Leur présence est signalée au « bureau de la Sécurité publique ». Plus de 50 000 expatriés résident déjà à Pékin cette année-là, mais le pouvoir ne veut pas prendre le risque de les voir s'égailler n'importe où. Le chef du bureau de presse du ministère chinois des Affaires étrangères, un apparatchik en costume gris qui a oublié le sourire, me fait savoir que, d'après le règlement qui gère l'existence des journalistes étrangers en Chine, nous devons habiter dans une résidence diplomatique. Or, plusieurs de mes collègues vivent déjà dans des maisons exotiques à cour carrée restaurées, dans ces ruelles du vieux Pékin, les *hutongs* qui séduisent tant les étrangers, ou dans les immeubles neufs qui poussent un peu plus chaque mois sur la capitale. Apparemment, il y a tolérance.

Je vais pourtant me ranger à l'idée d'habiter dans une résidence pour étrangers. Je ne veux pas que les autorités utilisent le prétexte du non-respect du règlement pour me sanctionner sur un reportage qui leur aurait déplu.

Bangonglu est la résidence la plus ancienne de Pékin. Le mélange culturel y est intéressant : on y trouve un consulat de Croatie et du Niger, un architecte de l'opéra de Pékin, un attaché commercial français, une poignée de journalistes allemands et l'ambassade d'Indonésie, avec sa mosquée qui attire, chaque vendredi, toute la communauté musulmane étrangère de Pékin pour la traditionnelle prière.

Les gardes en manteau kaki et en bonnet de fourrure avec étoile rouge s'y relaient toutes les quatre heures, hiver comme été, dans un défilé impeccable et toujours fascinant. Les citoyens chinois ne peuvent pas y pénétrer sans que leur identité ait été signalée. Il faut donc les attendre à la grille quand ils viennent vous rendre visite et informer les gardes qu'ils sont placés sous votre responsabilité. Mais qu'importe, la rue chinoise commence à vingt mètres de là, avec l'éternel défilé des vélos, les petits marchands de fruits et légumes et, en face, un supermarché très moderne, le Pacific, une chaîne de grands magasins appartenant à un groupe japonais... Le lycée français n'est qu'à dix minutes à vélo pour ma fille Justine, qui pourra prendre ainsi rapidement ses repères.

On dit que Bangonglu est la résidence la plus surveillée par les services de renseignements chinois. Elle accueillait déjà des étrangers durant la période Mao, dans les années 1970. On parle d'étages entiers réservés aux services d'écoute, mais jamais je n'ai pu observer cela. Je suis quand même frappé de voir que tous les numéros de téléphone des résidences diplomatiques de Pékin commencent par les mêmes chiffres : 6532... Un diplomate français a découvert un jour un micro incrusté dans le mur de sa chambre à coucher. Pour mémoire, il a encadré l'emplacement...

Je refuse de me ranger à l'idée que je vais être suivi pendant mes activités de journaliste ; je n'ai d'ailleurs pas grand-chose à cacher. Je pense aussi que la machine de renseignements chinoise tourne aujourd'hui pratiquement à vide et que, de toute façon, les activités des journalistes étrangers sont facilement repérables.

Finalement, j'aime cet endroit : les pièces de l'appartement sont hautes et claires, des arbres nous séparent de la rue et l'automne laisse entrer une lumière dorée reposante. Le coucou des Indes y chante au printemps, dominant même le bruit des chantiers de construction qui, chaque mois, encerclent un peu plus la résidence.

Étranger, donc montré du doigt

Le bureau de France 2 est installé dans un groupe de bâtiments gris d'une quinzaine d'étages réservé aux étrangers à un quart d'heure de là, pas loin de la route de l'aéroport, ce qui facilite les départs en catastrophe. Jérôme Bony, qui a inauguré le poste de correspondant en 1995, l'a surnommé « le Sarcelles de Pékin ». À l'époque, c'était un vaste chantier avec des grues à perte de vue. Aujourd'hui le quartier est achevé. On y rencontre plutôt des diplomates de petits pays d'Afrique ou d'Amérique latine qui, souvent, n'ont pas assez d'argent pour rentrer chez eux pendant les vacances et dont les enfants traînent sur le terrain de foot en ciment dans la chaleur accablante de l'été. Au petit matin, ce terrain sert de rendez-vous pour la leçon de tai-chi donnée aux femmes des résidents étrangers, au son des radiocassettes.

Il était impensable, il y a une quinzaine d'années, qu'un envoyé spécial de la télévision française puisse se déplacer librement en province et filmer des scènes illustrant la vie de la société chinoise. Aujourd'hui, il est plus facile de circuler, mais les vieilles habitudes ont la vie dure.

En Chine, l'étranger est immédiatement repéré et facilement signalé au comité de quartier ou à la police, même s'il n'a rien fait, alors qu'en Corée ou au Japon, il passe inaperçu. Le régime a appris aux Chinois à faire la différence. À l'exception des grandes villes, l'étranger reste perçu comme un être venu d'ailleurs, presque d'une autre planète. Il est donc à la fois surveillé et protégé. Surtout s'il est journaliste. Sa présence est signalée, il est entouré pour des raisons de méfiance, de sécurité et de curiosité. Son statut peut être pire que celui du Chinois s'il est impliqué dans un accident de la circulation ou dans un contentieux financier avec une administration, car il symbolise la poule aux œufs d'or. Le Chinois est direct avec lui et n'attend pas longtemps avant de lui demander son âge et son salaire.

Car, dans ce pays, l'étranger est celui qui a l'argent, le savoir-faire et une dimension internationale que le Chinois cherche à acquérir. Le journaliste ne fait pas exception à cette règle. On se méfie de lui, mais on l'envie. On le craint par certains côtés, mais on aime se prévaloir de son amitié. On lui prête une connaissance du monde qu'il n'a sans doute pas ou des réseaux d'information qu'il n'aura jamais réussi à établir mais, quelque part, il impressionne car il voyage dans le pays et il sait. Il voit des choses que ne voit pas le commun des mortels sur cette terre de Chine. Tous ces éléments vont peser sur la façon dont il va pouvoir vivre et travailler.

Pour exister en Chine, il faut d'abord obtenir un permis de séjour et un permis de travail. Pour cela, les autorités exigent visite médicale et certificat de santé, avec, en premier lieu, le test du sida. Être séronégatif est un élément déterminant pour l'obtention d'un permis de séjour. Un séropositif n'a pas sa place ici. Il est jugé trop dangereux et rejeté par la société, impossible à intégrer dans un milieu professionnel tant l'hostilité à son égard est grande. Car le sida ne peut venir que de l'étranger ; la Chine n'a jamais voulu reconnaître que des maladies pouvaient naître chez elle, et le pouvoir encourage les gens à penser ainsi. Cela permet aux dirigeants de garder les mains propres et de ne reconnaître aucune responsabilité dans la propagation d'un virus quel qu'il soit.

La radio des poumons est également obligatoire. L'homme qui m'accueille pour cet examen porte une blouse blanche, crasseuse au niveau des poches. Il a dû plus d'une fois s'essuyer les mains dans son vêtement après avoir manipulé son appareil de radiologie à la peinture écaillée et aux articulations quelque peu rouillées. Il fume et renvoie la fumée sur l'écran. Je commence à retirer ma chemise, mais il me fait signe de la garder. Or, j'ai toujours dans ma pochette de poitrine un stylo à bille. Je le conserve donc pour l'examen. Quand le résultat apparaît sur l'écran, je vois à l'image mon stylo planté en travers de mes poumons, ce qui n'inquiète aucunement l'opérateur. Incontestablement, c'est une radio pulmonaire de journaliste. Elle restera en l'état dans les archives du service médical de l'immigration... Elle y est sans doute encore.

Où l'auto chasse le vélo

Les Chinois ne reconnaissent pas le permis international et encore moins le permis français. Ils émettent des doutes sur notre façon de conduire. En cas d'accident, l'étranger a tort, la plupart du temps. Il ne peut donc prétendre se déplacer au volant d'une voiture en Chine sans avoir repassé son permis, occasion également de l'alléger de la somme de 150 euros environ.

Avec le temps, l'examen s'est compliqué d'une épreuve de trois cents questions du genre : « Que faire des tripes d'un accidenté de la route qui gît sur le macadam ? » « Les mettre dans un bocal » est la bonne réponse.

L'épreuve de conduite se déroule sur un circuit. Pas d'inspecteur comme en France, mais un policier s'est carrément assis à mes côtés. Il ne met pas sa ceinture de sécurité. De toute façon, il n'y en a pas. Il est de bonne humeur et éclate de rire quand il sort les trois seuls mots d'anglais qu'il connaît : « *right, left* et *ok* »… Il m'apprend qu'en Chine il faut toujours rouler sur la file de gauche et laisser celle de droite aux véhicules lents, aux carrioles, voire même aux animaux, qui empruntent aussi les routes. Le permis m'est accordé pour cinq ans.

Choisir une voiture n'est pas chose facile. En l'an 2000, les taxes font encore doubler le prix du véhicule par rapport à la France. Sauf pour les marques nationales. Mais cela n'effraie pas les Chinois. À Pékin, près d'un millier de voitures sont immatriculées chaque jour, dont la plupart sont de marque étrangère. Le grand chic, c'est la voiture allemande de couleur noire aux vitres teintées où les passagers ne peuvent pas être aperçus. Les amis chinois m'expliquent que, dans ce genre de véhicule, on a l'impression de ressembler aux délégués du Parti, d'être des gens importants et d'en imposer aux autres.

Avec ma famille, nous nous contenterons d'une petite auto japonaise fabriquée en joint-venture avec les Chinois. Sans vitres teintées. Elle est peu imposante mais pratique. Impossible de payer par chèque ou par virement. Il faut payer en liquide. Dans un pays où le billet de banque ne dépasse pas 100 yuans (10 euros), nous devrons donc aligner mille billets sur le comptoir du concessionnaire. Plutôt que de choisir l'option de la mallette, toujours vulnérable pour transporter cette somme, nous avons bourré les poches de plusieurs de nos manteaux qui nous donnent l'allure de bibendums. Le vendeur mettra vingt minutes pour compter la somme. Ainsi fonctionnait le marché de l'automobile en Chine dans les années 2000.

Les assurances n'en sont qu'à leurs débuts, mais il faut se couvrir. Un étranger impliqué dans un accident se verra réclamer des indemnités exorbitantes s'il a blessé quelqu'un. Dans les grandes villes, de pauvres gens vont même jusqu'à simuler une chute devant la voiture de l'étranger de passage afin de lui réclamer une compensation. Face à une foule curieuse et excitée, il est difficile d'échapper à cette nouvelle forme de racket et il faut payer sur-le-champ. La police elle-même vous encourage à le faire.

Nous réserverons la voiture aux longs trajets. Pour le reste, il faut profiter des plaisirs de la bicyclette. Avec seulement 20 euros, on achète un vélo, lourd et de piètre qualité, mais qui roule. Obligation de le garer dans les espaces réservés, sans quoi il est rapidement volé ou confisqué par la police. Mais la petite reine est un moyen agréable de côtoyer les Chinois qui vont au travail. Leur allure est lente et régulière. Ils ne sont pas avares de sourires quand ils voient un étranger pédaler à leur côté. Au feu rouge, j'aime les dévisager et imaginer ce qu'ils font dans la vie.

Le vélo en Chine est presque devenu méprisable ; c'est le moyen de transport du pauvre. Mieux vaut le cacher quand on se rend à un rendez-vous important. La petite reine, qui trôna pendant des décennies et fit circuler des milliards d'hommes en casquette et costume bleu, ne domine plus la rue chinoise. C'est le « tout-voiture » qui s'impose. La municipalité transforme même la plupart des pistes cyclables en places de stationnement pour automobiles.

La langue comme casse-tête chinois

J'avais l'impression d'apprendre facilement les langues étrangères et d'avoir « de l'oreille », comme on dit. J'aimais bien la langue arabe par exemple. J'ai pu aussi apprendre l'allemand en deux ans alors que j'étais correspondant à Berlin et, quand le mur de la honte est tombé, j'étais fin prêt...

Pour l'apprentissage du chinois, c'est une autre histoire. J'ai suivi pendant deux mois des cours particuliers à Paris avant de partir en poste à Pékin et même réussi un examen qui m'a valu un diplôme. Je pensais que tous les espoirs m'étaient permis, mais j'ai rapidement dû déchanter. Impossible, d'abord, de se réfugier dans l'anglais. Les Chinois parlent très peu cette langue internationale. Seule la perspective des Jeux olympiques les a poussés à développer des cours destinés aux hôteliers ou aux chauffeurs de taxi. Ensuite, le Chinois se méfie de l'étranger qui s'adresse à lui. Il pense de toute façon qu'il ne va pas comprendre, et il n'aide guère son interlocuteur qui s'exprime en mandarin. Il a plutôt tendance à fuir ou à vous indiquer une fausse direction s'il n'a pas compris, afin de ne pas perdre la face.

Enfin, en chinois, une seule erreur de ton change complètement le sens des mots ou de la phrase. Si vous parlez anglais avec l'accent français, les gens vous comprennent, mais si vous parlez chinois avec les tonalités d'une langue étrangère, le Chinois ne comprendra rien. Pis, le contresens peut donner à votre discours une tout autre tournure.

En Chine, le mandarin ne s'impose pas partout. À Shanghai, la langue parlée est incompréhensible pour un Pékinois, de même que le cantonais, pratiqué au sud. Dans le travail, nous devrons donc souvent utiliser le système de la double traduction. Par exemple, pour un reportage dans la campagne du Guangxi, notre interlocuteur va s'exprimer en langue miao. Un interprète local traduit alors en mandarin et notre assistante nous donne ensuite le sens en français.

Dans ces conditions, la portée du message original est quelque peu faussée, et le sel de la langue a disparu quand le reportage est diffusé, d'où une certaine déception de ne pas recevoir directement les impressions des populations rencontrées. Je constate d'ailleurs que la plupart des journalistes étrangers envoyés en poste en Chine, surtout les Français, parlent très peu le chinois et qu'ils ont besoin de quelqu'un pour les aider à comprendre la société, ce qui peut parfois fausser l'analyse. Ceux qui ont pu prendre le temps d'étudier la langue sur place à l'université et se sont ensuite lancés dans le journalisme parviendront à mieux pénétrer le monde chinois.

Pour établir les contacts et négocier les autorisations de tournage, nous aurons donc besoin des connaissances en chinois de Chang Jing, Charlotte ou Adeline, parlant couramment les deux langues et qui m'aideront à faire le lien avec la société. Elles se relaieront pour nous accompagner selon le caractère et la sensibilité du sujet : une frustration quelque part qui empêche finalement de communiquer directement avec les Chinois, en dehors d'une conversation superficielle sur le quotidien.

Tristan Le Braz et Sylvain Giaume, les deux cameramen qui travailleront avec moi durant ces six années, ont déjà vécu en Chine et en Asie. Ils ont une bonne sensibilité du pays et un attachement profond au peuple chinois ; c'est indispensable. Jamais je n'accepterais de faire un reportage avec des gens d'image qui n'ont pas de respect pour les autres.

Mais la meilleure façon de faire mon métier reste encore de me lancer dans l'aventure et d'affronter les problèmes de la Chine sur le terrain, aux côtés des riches ou des pauvres, des gens des villes ou des campagnes, dans les champs ou dans les usines, dans les montagnes ou sur les fleuves, avec les moyens du bord. Le contact direct reste le moyen le plus efficace pour vivre avec les Chinois et mieux se comprendre.

2

« GUEULES NOIRES » ET « PETITES MAINS »

Il est 18 heures devant la grande usine textile de Ningbo, qui fabrique des chemises pour le monde entier sur la côte Est de la Chine. La fin du travail va sonner pour l'équipe de jour. Nous attendons les ouvriers à la sortie, mais je suis surpris de voir qu'ils sont aussi peu nombreux.

Je découvre alors que la plupart des employés dorment sur place, serrés dans des dortoirs mal chauffés, avec de l'eau chaude dans des thermos pour boire et se laver. Ils sont venus des provinces pauvres de la Chine et ne retournent dans leur campagne qu'une fois par an. Comme la plupart des ouvriers chinois, ils ne gagnent pas plus d'une centaine d'euros par mois.

Il est devenu commun de dire que la Chine habille la planète, mais la réalité est bien là. Les ateliers immenses où travaillent ces milliers de « migrants » venus des campagnes donnent le vertige : discipline absolue, uniformes obligatoires, l'ordre règne dans le textile chinois. Un vêtement sur quatre dans le monde sort de ce genre d'usine. Plus de vingt millions d'habitants vivent ainsi de la fabrication de chemises, de T-shirts ou de chaussettes.

La ville de Ningbo, dans la province du Zhejiang, est l'une des capitales du textile chinois. Cité impersonnelle, sans passé, artificielle avec ses bâtiments aux vitres teintées et recouverts de carrelage blanc, ses immeubles construits à la hâte et ses usines d'aspect uniforme alignées dans une zone immense. Des entreprises comme Yongor, qui emploient 25 000 personnes, n'ont rien d'exceptionnel ici.

Les ouvriers de la chaîne me disent qu'ils parviennent à fabriquer chacun plus de huit cents chemises par jour pour douze heures passées dans les ateliers. Ils sont plutôt fiers de la performance. Salaire faible et temps de travail élevé font la réussite du textile chinois, sans que les mouvements de revendication voient réellement le jour.

Les soi-disant syndicats sont inféodés au Parti communiste et toute révolte ou contestation est étouffée dans l'œuf. Il existe pourtant une législation : la semaine légale est de quarante heures pour cinq jours de travail. Les heures supplémentaires doivent normalement être payées 150 à 200 % du salaire de base. Au bout de dix ans d'ancienneté, un employé a le droit de bénéficier d'un contrat à durée indéterminée. Mais la plupart des entreprises chinoises n'en tiennent pas compte, et les ouvriers s'inclinent. De son côté, l'État ne s'en inquiète guère et certains patrons en profitent.

Un directeur d'usine textile me confie sans gêne : « Nous ne sommes pas trop contrôlés sur les heures supplémentaires ; les autorités ferment les yeux. De plus, les ouvriers aiment cela… Au niveau des salaires, la Chine est en retard par rapport aux autres pays étrangers et nous restons très concurrentiels pour la main-d'œuvre. Elle ne nous coûte pas cher. On peut donc vendre à bas prix. »

Mais ce genre de méthode est peut-être condamné à terme. Certaines firmes internationales font surveiller discrètement l'application de la législation du travail dans les entreprises avec lesquelles elles traitent. Elles ne veulent pas apparaître comme complices de l'exploitation des ouvriers et se faire montrer du doigt par les ONG qui observent le comportement de la Chine sur le respect des droits de l'homme.

Dans les faubourgs de Hangzhou, la capitale de la province côtière du Zhejiang, autorisation nous est donnée de filmer une entreprise de chaussettes qui exporte vers l'Europe et l'Amérique plus de trois cents millions de paires chaque mois. Elle brise les règles commerciales habituelles et casse les prix sur tous les marchés en fabriquant aussi des chemises à moins d'un euro. Si la direction de l'entreprise nous laisse entrer avec une caméra, c'est qu'elle n'a sans doute rien à se reprocher. Les patrons se présentent même comme de grands humanistes qui travaillent pour que les déshérités de la planète puissent s'offrir des vêtements à bas prix. À nous de trouver les failles du système.

Le personnel est 100 % chinois, mais ces machines qui produisent les chemises ou les bas à une cadence folle viennent de Corée, du Japon, d'Italie ou d'Allemagne. Les ouvriers ne gagnent pas plus de 100 euros par mois, comme partout ailleurs.

Ils sont souvent nourris avec des slogans, comme au temps de la période Mao. Sur le mur d'entrée de l'usine, on peut lire : « Pas de qualité, pas de travail. Pas de clients, pas de patron », « Des centaines de gens vont perdre leur emploi si l'entreprise n'est pas dirigée fermement », « Si quelqu'un ne travaille pas dur, il n'est pas de chez nous », « Celui qui gagne sa vie en Chine est un gagneur, celui qui la gagne outre-mer est un héros. »

Objets de joie fabriqués dans la peine

J'ai voulu pénétrer dans le monde du travail et, dans toute la Chine, c'est un peu le même schéma. Le plus émouvant est d'observer les ouvrières de l'industrie du jouet. On les appelle les « petites mains ». L'image est forte de les voir peiner dix heures par jour pour le simple plaisir de nos enfants.

La cité de Dongguan, dans la province du Guangdong, aux portes de Hong Kong, fait travailler ainsi plusieurs millions de ces jeunes femmes dans quelque six mille entreprises de jouets qui seront ensuite exportés aux quatre coins du globe. L'usine dans laquelle nous sommes autorisés à filmer emploie sept cents « petites mains » qui fabriquent poupées et peluches au rythme de quatre mille unités par jour.

Pas facile de pénétrer dans ces ateliers avec une caméra ou un appareil photo. Il a fallu prétexter l'approche des fêtes de Noël en France. Nous sommes escortés par le patron, un contremaître, un membre de l'Association des fabricants de jouets et le représentant local du ministère des Affaires étrangères.

Les deux tiers des jouets du monde sont fabriqués en Asie, mais les petits Chinois n'en voient guère la couleur, car ils sont surtout destinés à nos sociétés et conçus selon les normes de sécurité en vigueur en Occident. Les clients étrangers sont devenus tellement exigeants sur la sécurité que les patrons chinois doivent multiplier les contrôles qualité sur ordre des firmes étrangères qui passent commande et parfois débarquent par surprise.

Mais cela n'empêche pas les failles. Une obsession : les aiguilles, qui peuvent casser et rester dans le jouet. Toutes les peluches sont ainsi passées au scanner. Appliquer pareilles mesures aux jouets destinés au marché intérieur coûterait trop cher, et les familles ne pourraient pas se les offrir. Les enfants chinois doivent donc se contenter de jouets plus rudimentaires et moins sécurisés.

La vie de ces ouvrières se résume à peu de chose en dehors du travail. La plupart sont venues des campagnes et des provinces pauvres. On les appelle les

mingongs, les « paysanes ouvrières » ou, plus communé-
ment, les migrantes. Elles n'ont l'autorisation de séjourner en ville que grâce à la bonne volonté de leur
employeur, qui signe le contrat mais confisque parfois
leurs papiers pour les empêcher de démissionner et de
partir sans laisser d'adresse.

Ces « petites mains » ne peuvent guère prétendre à
plus de deux jours de congé par mois. Combien
de larmes ont-elles versées sur leur ouvrage au cours de
ces journées sans fin qu'elles ont passées à s'abîmer
les yeux ? Elles sont logées dans des dortoirs exigus de
dix ou vingt personnes, à peine chauffés dans l'hiver
humide et froid du Guangdong. Avec leur salaire, elles
ne pourraient pas louer une chambre en ville et, quand
on finit son travail à 10 heures du soir, autant dormir
sur place...

Ouvriers et ouvrières portent sagement une coiffe
en nylon, afin qu'aucun cheveu ne vienne se déposer
sur les produits. Ils sont tendus par notre présence et
n'osent pas lever le regard sur nous. J'ai presque
honte de leur poser la question sur leur salaire et leur
temps de travail. Le patron écoute, le représentant des
Affaires étrangères aussi. Les ouvriers ne peuvent
guère dire autre chose qu'ils sont satisfaits de travailler
ici, même pendant dix à douze heures par jour pour
un salaire qui ne dépasse pas une centaine d'euros
par mois.

Les migrants sont plus de cent millions en Chine,
quatre millions uniquement à Pékin, soit le quart de la
population. Ils sont considérés comme des citoyens de
seconde zone, employés sur les chantiers, dans les
usines ou les restaurants. Mais, dans le pays, le réservoir
de main-d'œuvre s'élève à plus de cinq cents millions
d'ouvriers potentiels qui attendent leur tour pour se
faire embaucher dans les entreprises de toute sorte. Ils
savent qu'ils ne reviendront chez eux que pour les fêtes

du nouvel an lunaire. Ils signent leurs contrats à l'année et ne reçoivent leur argent qu'à la fin, avant de rentrer dans leur village. « C'est pour éviter qu'ils ne se fassent voler » m'affirment les patrons... Mais, souvent, les entreprises sont en difficulté financière et ne peuvent pas régler les salaires. Alors c'est la révolte !

De nouvelles lois obligent les patrons à payer coûte que coûte les ouvriers, quitte à hypothéquer l'entreprise. Mais, bien souvent, les migrants floués rentrent chez eux sans la somme promise. Pareil exode, à plusieurs milliers de kilomètres de leur province natale, ne dure, la plupart du temps, que quelques années. À l'âge de vingt-cinq ans, les ouvrières du jouet sont jugées trop vieilles et leur contrat n'est pas renouvelé. Alors, elles sombrent souvent dans la prostitution et n'osent pas regagner leur province et leur village.

Le sombre destin des mineurs de fond

Ces entreprises, où les ouvriers doivent assurer des cadences infernales, masquent difficilement un vrai problème dans le monde du travail en Chine : celui de la sécurité. Pour assurer sa croissance et obtenir l'énergie qui fera marcher ses usines, la Chine n'hésite pas à sacrifier chaque année plus de cinq mille vies humaines, celles des mineurs qui extraient les deux millions et demi de tonnes de charbon dont le pays a besoin chaque année.

Ces drames sont la honte de la Chine. On comprend pourquoi les patrons ne veulent pas nous autoriser à filmer les accidents. Seuls les responsables des mines officielles acceptent parfois de nous laisser descendre. Grâce à un jeune mineur chinois, Song Chao, qui a entrepris de photographier ses collègues à la sortie du trou, nous avons pu nous enfoncer à 400 mètres de profondeur dans le gisement où il attaque les veines de charbon de la région du Jiangsu. Les conditions de vie y sont acceptables car c'est une mine d'État. Song Chao travaille dix heures par jour, y compris le temps de descente et de remontée. Il gagne près de 2 000 euros par mois, un salaire qui le satisfait. Mais, dans le village, tout n'est que poussière de charbon : les voitures, les rues, les toits, les planchers des appartements ou des maisons sont recouverts de fines particules noires qui s'infiltrent partout, sous les ongles et, bien sûr, dans les poumons.

Même dans ces entreprises d'État, la sécurité est quelque peu négligée, et les accidents endeuillent aussi les familles. À la mine de Yongcheng, qui emploie deux mille cinq cents mineurs dans la province pauvre du Henan, les slogans inscrits à l'entrée insistent sur les dangers qui menacent la vie des « gueules noires » : « Quand on fait des projets pour cent ans, il faut la sécurité. » Mais le directeur des mines de la région, Wang Lianhai, nous montre à quel point les responsables sont peu soucieux du sort des travailleurs : « Aux États-Unis, si on n'est pas diplômé d'un lycée, on ne peut pas devenir mineur. En Chine, comme il y a beaucoup de monde, on n'en tient pas compte. Le chiffre des employés éduqués est très bas, et nos installations sont précaires par rapport aux pays industrialisés. »

Pour connaître les conditions de vie des mineurs, je préfère écouter ceux qui viennent de déposer leur fardeau, comme Shi Qizhen. Nous l'avons rencontré par hasard en sillonnant les rues des villages voisins de la mine. Jamais les autorités ne nous auraient laissé parler à ces hommes qui en ont trop vu. Avec sa maigre retraite et quelques économies, il a pu ouvrir un petit restaurant de trois tables au bord de la route où passent et repassent des camions débordant de charbon. Sa femme fait la cuisine et il sert le client. Il est heureux d'en avoir fini avec la mine.

« Je lavais le charbon pour obtenir de la bonne qualité. J'ai travaillé trente-sept ans, dont trente dans la mine. Je gagnais 800 yuans (80 euros) par mois. Je passais mes journées dans un puits, ce qui est difficile et dangereux.

Aujourd'hui, les conditions n'ont guère changé. Nos dirigeants ont besoin de charbon, alors ils se moquent de la vie humaine ; ils veulent surtout faire de l'argent... Autrefois, les accidents n'étaient pas aussi graves. Pendant plusieurs années, je n'ai pas vécu un seul coup de grisou mais, maintenant, dans les petites mines, l'air circule mal car il n'y a qu'un seul trou d'aération. Si les galeries étaient mieux aérées, le grisou ne resterait pas longtemps à l'intérieur. La plupart des accidents sont dus à ça. Mais ce qui intéresse les patrons, c'est qu'on augmente la production de charbon... Pour cela, ils n'engagent que des migrants, c'est-à-dire des gens qui viennent d'autres provinces et qui sont très pauvres. Ils peuvent gagner jusqu'à 1 000 yuans (100 euros) par mois. Ils n'ont jamais vu ça. Dans leur région natale, ils ne pourraient pas gagner autant, alors les patrons en profitent. »

Le pouvoir affirme que la plupart des accidents se produisent dans les mines privées, qui ne respectent pas les conditions de sécurité. On en compte plus de quinze mille en Chine, dont cinq mille ont été interdites, mais certaines d'entre elles continuent de fonctionner avec la complicité des autorités locales et de la police.

Bien sûr, ces ouvriers n'ont aucun recours et parfois la révolte gronde, rapidement réprimée. Le pouvoir sait pourtant qu'il doit faire régner la justice sociale car il en va de sa survie. Il est donc obligé de sévir contre les entreprises exploitant ces mines privées et de veiller un peu plus au respect des normes de sécurité.

Les syndicats n'existent pas, mais les ouvriers savent se faire entendre. Les organisations de défense des droits de l'homme ont recensé, en 2006, plus de soixante-quinze mille foyers de révolte : manifestations, jacqueries, grèves spontanées bien qu'interdites. Il suffirait que ces mouvements s'unissent pour faire trembler le régime. On n'en est pas encore là.

La grande migration des congés chinois

Avec de telles conditions de travail, les congés sont une délivrance pour les travailleurs chinois. Trois semaines avant le nouvel an, ils commencent à déserter les chantiers et à retourner dans leur province, au grand désespoir des chefs d'entreprise. À l'approche des fêtes, le prix des billets de train augmente ; il faut donc faire vite. Les gares voient défiler des centaines de milliers de migrants avec leurs balluchons en plastique à l'épaule et leurs valises éclatées.

La première année où j'ai voulu réaliser un reportage à la gare centrale de Pékin sur les congés du nouvel an chinois, l'autorisation nous a été refusée, le représentant des Affaires étrangères ne voulant pas que le chaos des départs soit montré sur une télévision étrangère. La seconde année, nous décidons de négliger cette autorisation, mais la police nous interpelle dès que nous levons la caméra sur les voyageurs. Après une heure d'attente au commissariat, une femme officier de police prend finalement sur elle de nous laisser filmer pendant dix minutes les activités de la gare.

Je lui fais remarquer que nous avons également besoin de connaître les sentiments des gens qui partent. Elle se laisse persuader, mais elle veut choisir nos interlocuteurs. Notre commissaire parcourt ainsi les rangs des passagers dans la salle d'attente, interroge les voyageurs et finalement me désigne un professeur d'université de Nankin, très présentable qui parlera ainsi en leur nom... pour dire que tout va bien. Ainsi ai-je pu réaliser mon premier reportage sur les départs en vacances des Chinois dans un lieu hautement stratégique : la gare centrale de Pékin...

Des centaines de trains spéciaux ont été prévus pour cette période. L'excitation est à son comble. La seule gare de Canton voit passer, en une seule journée, six cent mille passagers pendant les congés du nouvel an : l'atelier du monde cesse le travail et reprend son souffle.

Parfois, les voyageurs attendent pendant des heures l'arrivée du train. Mais, comme le Chinois est un joueur passionné, un jeu de cartes installé sur un bagage avec quelques compagnons autour permet de tuer le temps. En Chine, seuls les passagers avec un billet peuvent pénétrer sur le quai, dix minutes seulement avant le départ. Au feu vert, c'est la ruée. Il n'y a pas de place pour tout le monde, alors les gens occupent les toilettes, les soufflets, le couloir et s'installent même sur les dossiers des banquettes.

Le voyage est une épreuve : la chaleur est suffocante dans les wagons, l'odeur insoutenable. Ceux qui devront rester dans ces trains bondés pendant des dizaines d'heures savent qu'ils n'auront pas accès aux toilettes et que, de toute façon, elles seront bouchées au bout de quelques heures. Alors ils s'équipent avec des couches, comme des bambins, pour tenir jusqu'à l'arrivée. Le couloir est rapidement jonché de détritus. Les voyageurs crachent par terre et s'essuient même la bouche avec les rideaux. Voilà pourquoi des compartiments spéciaux sont créés pour les touristes étrangers qui se rendent sur les lieux historiques traditionnels.

Pour le reste, il faut accepter de vivre avec les Chinois. L'expérience du train est en cela unique et permet toutes sortes de rencontres.

3

ANCIENS PAUVRES ET NOUVEAUX RICHES

« Les ouvriers n'ont pas à se plaindre, me déclare d'emblée M. Song. Ici, c'est comme en Amérique, celui qui a la volonté et n'a pas peur de travailler peut atteindre le haut de l'échelle après avoir démarré tout en bas. » L'homme sait de quoi il parle. M. Song est un ancien paysan du Guangdong venu faire fortune à la ville, et il a réussi. Il dirige une entreprise de chaussures dans la banlieue de Canton qui emploie plus d'un millier d'ouvriers. M. Song sait se faire respecter. Quand il arrive dans son Opel noire aux vitres teintées à l'entrée de son usine, il exige que les gardes le saluent comme s'il était un officier de l'Armée populaire.

Il est conscient de sa réussite. Son entreprise exporte la moitié de sa production vers l'Europe et les États-Unis : huit cent mille paires par an. Il a d'abord fait fortune dans la chaussure bas de gamme. Ses produits ne se vendent pas cher, mais il se rattrape sur la quantité. Il veut aujourd'hui s'orienter vers le haut de gamme pour défier la production européenne. « Il y a vingt ans, nous dit-il, les Chinois ne possédaient guère qu'une ou deux paires de chaussures par personne. Aujourd'hui, ils sont sur le point de chausser le monde entier. » J'ai d'abord rencontré M. Song pour la réalisation d'un reportage sur la chaussure chinoise qui menace la chaussure française, et non pas en tant que nouveau riche.

Car faire le portrait de cette nouvelle classe de citoyens en Chine n'est pas chose facile. Les grosses fortunes ne se manifestent guère, surtout face à des journalistes étrangers qui rappellent régulièrement que la Chine vit sous un régime communiste et que leur réussite a de quoi choquer.

J'ai bien dû attendre trois semaines avant de trouver un volontaire... Nous avions annoncé à plusieurs provinces de Chine que nous cherchions « une personnalité travaillant pour le développement économique d'une région ». La province du Liaoning, à une heure d'avion de Pékin, a mordu à l'hameçon. Les autorités acceptent de nous aider en nous introduisant auprès d'un homme d'affaires qui a fait fortune avec différents projets industriels et immobiliers. Nous débarquons donc à Shenyang.

La capitale de la province a subi de plein fouet le contrecoup des restructurations : effondrement de l'industrie lourde, faillites d'entreprises, chômage record. À chaque coin de rue, je rencontre des demandeurs d'emploi assis sur leurs talons, derrière une petite pancarte indiquant leur qualification : peintre, maçon, soudeur, ajusteur. Les privatisations ont mis à la rue trois cent mille personnes en deux ans. « Tombées en chômage », comme on dit ici. Mais, aujourd'hui, la ville sinistrée relève la tête et ce spectacle de désolation s'efface derrière la naissance de nouvelles entreprises. Toute une avenue est, par exemple, réservée aux concessionnaires automobiles.

À quarante-six ans, Fang Xiang fait partie des hommes d'affaires qui ont parié sur les bouleversements économiques de la province. Il a commencé dans la vie en vendant de la colle à chaussure avec deux employés. Progressivement, il a racheté des entreprises d'État en faillite. Il possède cent cinquante usines dans la région mais, surtout, il a pu acquérir tout un quartier de la banlieue de Shenyang pour y construire des logements de luxe. On y voit surtout des maisons aux colonnes romaines ornées de statues de pierre avec des sculptures de bronze crachant de l'eau : tout ce qui peut plaire aux nouveaux riches chinois. Six mille familles habitent déjà ici. L'homme a la bénédiction du Parti communiste auquel il a demandé à adhérer.

Fang Xiang conduit lui-même sa voiture à 300 000 euros dans les rues de Shenyang. Pour entrer dans son bureau il faut passer devant la statue du dieu protecteur de la fortune, auquel il rend hommage chaque matin en allumant quelques bâtons d'encens. Sur sa table de travail se trouve un portrait de Deng Xiaoping, le père de l'ouverture économique de la Chine, un demi-dieu pour lui, grâce à qui il a fait fortune.

« Avec Deng Xiaoping, nous avons pu voir se développer l'économie de toute la nation chinoise. Notre vocation est de devenir riches après avoir été pauvres.

Les gens comme moi, qui ont quarante-six ans, ont grandi sous le régime de l'économie planifiée. Nous avons connu la misère. Ma famille a été envoyée à la campagne et mes parents sont morts là-bas. On était pauvres pour la vie matérielle, mais on était riches dans la vie spirituelle. Ma mère nous a donné cela. Elle nous a transmis beaucoup de l'idéologie de Confucius, ce qui m'a aidé à surmonter les difficultés. »

Fang Xiang possède des dizaines d'appartements et de nombreuses voitures. Il aide les pauvres mais ne les plaint pas, en disant que celui qui ne parvient pas à faire fortune doit s'en prendre à lui-même et non pas à l'État ou au Parti...

« Pendant quinze ans, j'ai travaillé très dur. Le bonheur matériel, l'argent mais aussi la confiance et les honneurs dans tous les domaines sont arrivés d'un seul coup. Dans ma tête pourtant, je n'étais pas prêt. Je savais que je pouvais être riche mais pas aussi rapidement. J'utilise raisonnablement ma fortune. Je m'en sers pour les investissements et le développement de l'entreprise. J'ai réalisé mon but : vivre la vie parfaite. Je suis devenu un homme mûr. Le bonheur m'aide à résister au malheur. C'est comme si j'avais un abri protégé au bord de la mer. J'ai une famille heureuse, une petite fille très jolie. »

Fang Xiang fait partie des hommes qui ont profité de la politique d'ouverture mais qui veulent aussi aider les autres.

« En Chine, on a un proverbe qui dit : "Quand on boit de l'eau, il ne faut pas oublier celui qui a creusé le puits." Il faut toujours penser à celui qui nous a permis de devenir riche. Si je n'étais pas riche, je ne pourrais pas m'occuper des affaires de l'État, je pourrais seulement m'occuper de mon existence. Maintenant que j'ai fait fortune, je dois penser au développement de la nation. Je vais construire ici un hôtel cinq étoiles. Le gouvernement n'a investi aucun sou dans l'opération, et je ferai appel aux financements de l'étranger. »

Fang Xiang reçoit régulièrement les paysans du village de la banlieue de Shenyang qu'il a expropriés pour bâtir ses résidences de luxe. Il ne veut pas les oublier, mais les aider. Il fait aujourd'hui des affaires avec la Corée du Nord, frontalière de la province. Il est devenu la deuxième fortune du Liaoning et pourrait même devenir la première, le milliardaire qui détient ce titre étant aujourd'hui en prison pour corruption...

Milliardaires mais communistes

On dit que Chongqing est la cité la plus grande de Chine : trente millions d'habitants. Le développement de cette ville des bords du Yangtsé, noyée dans les brumes pendant six mois de l'année, a mordu sur les villes voisines. Chongqing a été transformée en un vaste « cercle économique » en plein centre du pays. D'où le chiffre impressionnant de sa population, répartie en réalité sur une vingtaine d'agglomérations. Un tel développement profite, bien sûr, aux entreprises locales et particulièrement au groupe Lifan, qui produit motos et voitures bon marché pour la Chine et quelques pays d'Afrique et d'Asie.

À sa tête, un patron de soixante-huit ans : Yin Mingshan. Il a fondé sa société en 1996 avec neuf employés. Aujourd'hui, il emploie plus de huit mille personnes qui produisent un million de motos par an et exportent vers l'Afrique et l'Asie. Il fait partie des cent plus grosses fortunes de Chine. Mais l'homme a le triomphe modeste. Il conduit lui-même la petite voiture à 4 000 euros que fabrique sa société, il partage le repas des ouvriers à la cantine et son plaisir est d'utiliser son argent pour financer de nouveaux emplois. Seule entorse à cette discipline : il possède son propre club de football.

Le temps est loin où Yin Mingshan fuyait l'avancée des communistes avec sa famille dans les années 1940. Il fera un an de prison, en 1970, pour avoir critiqué le Parti communiste. Mais, aujourd'hui, il a sa carte et il y croit :

« Après les réformes lancées par le Parti, les Chinois ont pu manger à leur faim, construire des immeubles et s'habiller mieux. Le peuple est plus heureux qu'avant, alors j'ai confiance dans le Parti communiste. Autrefois, tout le monde était pareil mais, grâce à l'économie de marché, une partie de la population a pu s'enrichir. J'en fais partie ; j'ai même pu m'acheter un piano », nous dit-il en tapant quelques notes de *La Marseillaise*, apprises à l'occasion d'un bref voyage à Paris…

Mais le milliardaire rouge qui a surtout retenu l'attention des Français reste, sans conteste, Zhang Laffitte.

Il a pris, sans hésiter, le nom du château dont il était tombé amoureux et fait construire une réplique dans la banlieue de Pékin : trois ans de travaux et un millier d'ouvriers. Grâce à l'aménagement routier autour de la capitale, le château de Maisons-Laffitte version chinoise se trouve juste en bordure de l'autoroute qui mène à la Grande Muraille.

Zhang Yuchen, de son vrai nom, nous attend en lisière de pelouse. Il est heureux de l'achèvement du chantier, mais déçu de n'avoir pu faire venir la pierre de France. Il a dû, plus banalement, l'importer de Turquie. La couleur est donc un peu faussée, mais le château se visite surtout à la nuit tombée, et le curieux n'y voit que du feu. La réplique est plus petite que l'original. Il a installé des ascenseurs à l'intérieur, étalé des moquettes rouges et aménagé le bâtiment en hôtel. À ses côtés, son épouse, Jianming, avec ses cheveux courts, droits comme des baguettes de tambour, n'a guère l'allure d'une châtelaine. Elle ressemble plutôt à une ménagère chinoise partant faire ses courses sur un marché de Pékin. Mais la passion pour l'œuvre de son mari et notre culture est sincère. Elle veut même exposer un jour des produits et des vins de toutes les régions françaises.

Le goût de M. Zhang pour les châteaux français attire bien sûr nombre de journalistes, tant la surprise est grande de voir émerger dans la poussière de la campagne pékinoise une demeure aussi prestigieuse. Quelques vignobles et des centaines de rangées de bouteilles de vin à la cave achèvent de donner à l'édifice un cachet français. Des statues de bronze représentant Bacchus et un ensemble de jets d'eau apportent toute sa majesté à l'endroit, à tel point que la presse française a fait de Zhang Laffitte le symbole des nouveaux riches chinois, car il ne peut être qu'un homme de goût.

À l'origine, Zhang Uchen a fait fortune dans l'immobilier. Il a bâti les premières résidences de luxe de la

banlieue de Pékin dans les années 1990. Pas trop coû-
teuses, elles ont eu rapidement du succès mais, aujour-
d'hui, elles sont démodées : pas assez de kitch et de
fantaisie. Avec le temps, les murs commencent à s'effri-
ter, ce qui est normal dans le bâtiment en Chine au
bout de huit années.

Ses talents de bâtisseur, Zhang Laffitte les doit
curieusement à son exode pendant la révolution prolé-
tarienne, dans les années 1970.

« J'ai participé à la révolution culturelle comme tous
les gens de ma génération. Ensuite on m'a envoyé
pendant dix ans à la campagne dans une région frontalière de la Corée du Nord. J'ai eu plutôt de la
chance, car tout le monde partait pour cultiver les
champs, alors que moi, j'ai pu travailler dans une
entreprise de construction. Je me suis même occupé
de la gestion. À mon retour, j'ai repris mes études tout
en travaillant dans le bâtiment, ce qui nous a conduits
jusqu'à la période des réformes et de l'ouverture, à la
fin des années 1980. À ce moment-là, j'ai fondé ma
propre entreprise. »

Les nouveaux riches chinois ne se ressemblent
guère, mais tous ont pu profiter du système pour bâtir
leur fortune. N'oublions pas non plus que l'homme le
plus riche de Chine est en réalité une femme de vingt-
six ans, Yang Huiyan, héritière d'une entreprise familiale qui a réussi dans l'immobilier. Sa société, Le Jardin
des lauriers verts, possède un capital de 12 milliards
d'euros. Le plus grand nombre de milliardaires en
Chine se rencontre d'ailleurs dans ce domaine. Sur le
podium de la richesse, Mme Yang est suivie par une
autre femme d'affaires, Zhang Yin, qui a réussi grâce au
développement d'une simple entreprise de recyclage
du papier.

Vacances auprès des dieux

Pour les vacances, les nouveaux riches se retrouvent souvent sur l'île de Macao, seule autorisée à ouvrir des casinos et dont l'importance dépasse à présent celle de Las Vegas. Mais des maisons de jeu réservées aux Chinois se sont ouvertes aussi à l'intérieur des pays frontaliers de la Chine, comme au Laos ou en Birmanie. Le territoire de la République populaire conserve ainsi officiellement sa rigueur morale en donnant au monde l'impression de ne pas céder à la passion du jeu...

Plus simplement, la destination favorite des Chinois aisés est devenue l'île de Hainan, à l'extrême sud de la Chine. En hiver, la température ne descend pas au-dessous de 25 degrés. Certains vacanciers viennent du nord du pays, des provinces glacées du Heilongjiang ou de Mongolie-Intérieure pour y retrouver la chaleur. Ils ont même acheté des appartements, dont l'architecture gréco-romaine de mauvais goût défigure la côte. Même les nouveaux riches de Russie ont investi dans des propriétés à Hainan, accédant ainsi aux mers chaudes de Chine par le biais des congés.

Il se construit sur l'île un gigantesque parc à thème, avec des temples et des pagodes pour que le vacancier puisse sainement se détendre l'esprit. Les bâtons d'encens, de la taille d'un homme, sont à l'échelle des fortunes qui passent : normal pour des milliardaires. Le pouvoir entretient même sur cette île le culte des dieux en laissant bâtir une gigantesque statue de Guanyin, déesse bouddhiste de quatre-vingt-dix mètres de haut, qui domine toute la côte et dont la seule vision permet le repos du travailleur et de l'homme d'affaires...

4

LES GRANDS CHANTIERS DE LA CHINE

L'empereur de pierre émerge de la brume avec ses cent mètres de hauteur et regarde indifférent monter les eaux du Yangtsé qui formeront le réservoir du barrage des Trois-Gorges. Le fleuve n'atteindra pas même ses pieds. Les autorités ont fait construire une digue de deux kilomètres de long pour protéger la cité des Diables, située sur la même colline dominant la vieille ville.

Fengdu vit sous le signe des croyances taoïstes et attire chaque année des centaines de milliers de visiteurs. Détruire et inonder Fengdu apporterait le malheur sur le pays, disent les Chinois fidèles aux superstitions du taoïsme ; la cité ne doit pas être submergée par les eaux. Car ici commence symboliquement le monde de l'au-delà, que l'on doit franchir en cinq enjambées par un pont de pierre.

L'endroit est devenu un lieu de recueillement pour les âmes errantes et un refuge pour les superstitions : « Si je peux prier devant les diables, cela veut dire que je n'ai pas peur. Mais si le mal est entré en moi, alors j'aurai peur de faire ma prière devant eux », me dit ce visiteur.

La cité des Diables sera protégée, mais pas la vieille ville, qui abritait quatre-vingt mille âmes et sera engloutie à jamais. J'ai vu la cité de Fengdu vivre ses derniers jours. Les bulldozers ont d'abord détruit et rasé les maisons, afin que le courant et la circulation navale ne rencontrent aucun obstacle. Les habitants avaient eu un mois pour quitter les lieux, mais les petits commerçants se sont accrochés longtemps à leurs boutiques en vendant sur les ruines des téléviseurs, des appareils ménagers et des outils de toute sorte.

« De quoi se plaignent-ils, nous dit le secrétaire local du Parti, puisqu'ils seront tous relogés ? » Oui, mais à quel prix ! Les habitants de Fengdu et le million de personnes déplacées dans la zone pour la construction du barrage reçoivent bien une indemnité, mais ils doivent rallonger sérieusement la somme pour avoir accès aux appartements neufs.

La ville nouvelle s'est reconstruite sur l'autre rive : avenues immenses, immeubles d'habitation très clairs et plutôt propres avec vue sur le fleuve, rue commerçante ; ceux qui sont relogés paraissent assez contents, mais nos guides s'arrangent pour que nous évitions de rencontrer les habitants qui sont restés dans la vieille ville et attendent d'être relogés.

L'instituteur de l'école enseigne à ses élèves que le projet représente la fierté de la Chine : « Après les travaux des Trois-Gorges, mon école se trouvera sous l'eau. Mais j'ai dit à mes élèves que la réalisation du barrage était le projet le plus grandiose du monde. Nous sommes du fond du cœur pour ce barrage. Je leur ai expliqué qu'il était dans l'intérêt du pays, à long terme, et qu'il fallait sacrifier les intérêts de la petite famille pour ceux de la grande famille. Mais tout cela n'est pas vraiment un sacrifice, car les logements de la ville nouvelle sont nettement meilleurs que les anciens, et je ne dis pas de mensonges. »

Cités brisées

Onze villes de la taille de Fengdu ont été brisées, les usines dynamitées, les ports explosés, pour y faire passer le nouveau lit du plus grand fleuve de Chine, avec ses six mille kilomètres de long, et assurer la montée des eaux du lac de retenue, qui dépassera la superficie de la Suisse.

Pourquoi pareil barrage ? Quand j'arrive en Chine, à l'automne 2000, j'ai hâte de visiter l'endroit. Les ingénieurs me disent que le projet est destiné à stopper les crues dévastatrices qui font chaque année des milliers de morts durant les inondations de l'été. Cent quarante mille morts en 1931... Deux mille en 1998. Les Chinois ont longtemps entretenu ce dicton dans leur histoire : « Celui qui contrôle les fleuves contrôle le pays. » Autrement dit, celui qui ne contrôle pas les eaux du Yangtsé ne peut prétendre gouverner la Chine : un défi que le Parti se doit de relever.

J'apprends que les rivières les plus capricieuses, qui entretiennent ces inondations catastrophiques, se trouvent, en réalité, en aval du barrage et que le projet ne pourra guère réguler que 20 % de l'écoulement des eaux du fleuve. L'ouvrage est donc bien destiné à distribuer de l'énergie à l'« atelier du monde » en envoyant de l'électricité aux usines de Shanghai, à mille kilomètres de là. Il fournira autant de kilowatts que dix centrales nucléaires.

Vue du bas, la masse est imposante, mais le brouillard est si épais que je ne parviens même pas à voir le sommet du barrage, cent vingt mètres plus haut. Une centaine de travailleurs migrants, des paysans venus du Henan, s'affairent dans une montagne de fer à béton. Un bonheur pour eux : trois ans de travail assuré pour 100 euros par mois. Je remarque des fissures dans le barrage. « Normal, me dit l'ingénieur, quand elles ne dépassent pas cinquante centimètres de profondeur, il n'y a pas à s'inquiéter… » Je n'ose imaginer qu'un tel projet puisse un jour s'effondrer.

Les Chinois eux-mêmes ont eu du mal à accepter pareille réalisation : un tiers du Parlement a voté contre alors que, d'habitude, les députés ne sont guère invités à donner leur avis. Mais le débat est clos à présent. Il est interdit de critiquer un projet qui fait honneur à la Chine nouvelle.

Même les gens satisfaits ont été triés sur le volet avant d'être autorisés à nous parler. La direction du barrage nous renvoie la plupart du temps sur les mêmes familles, censées exprimer le sentiment des populations déplacées : un couple de retraités sympathiques, propres sur eux, soixante-dix ans environ. La dame fait du tricot, le monsieur du jardinage. Ils habitaient la ville de Fengjie, soixante mille habitants, qui sera, à terme, entièrement submergée par les eaux du fleuve. Ils ont été relogés sur les hauteurs, à proximité du panneau marqué « 175 mètres ». C'est le niveau qu'atteindra l'eau du lac de retenue en 2009 quand le barrage sera entièrement opérationnel.

Leur maison n'a qu'un étage ; elle est recouverte de carrelage blanc. Le mauvais goût est évident. Notre couple de retraités n'a que deux pièces pour vivre mais c'est déjà pas mal et ils sont heureux. Ils remercient le gouvernement pour ce nouveau logement et pour ces grands travaux qui honorent la Chine.

Plus d'un million et demi de personnes auront été déplacées quand les travaux seront terminés en 2009, mais, avec la montée des eaux, les berges ont tendance à s'effondrer et les glissements de terrain se multiplient. Il faudra donc encore déplacer quatre millions d'habitants dans la décennie qui suivra la mise en œuvre définitive du barrage.

Un prétendu modèle pour la terre entière

La région des Trois-Gorges est devenue un véritable lieu de pèlerinage, avec plus d'un million de visiteurs chaque année. En ce printemps 2003, nous remontons cette fois le fleuve jusqu'au barrage, dans un bateau affrété par l'unité de travail d'un lycée de Yueyang, dans la province du Hunan. À bord, des professeurs d'anglais, tous membres du Parti communiste, dont c'est le 82ᵉ anniversaire. Le voyage est une fête, celle de la victoire de la Chine et du Parti sur le fleuve le plus capricieux du monde. « Le projet servira la terre entière ! » me lance ce jeune professeur.

Nous suivons la délégation dans les rues boueuses de l'ancienne ville de Zigui, entièrement reconstruite sur les hauteurs. Chaque pierre, chaque tuile, chaque poutre a été numérotée avant d'être déplacée. Le déménagement a coûté trois cent mille euros par maison, mais c'est le prix à payer pour préserver le patrimoine culturel de la Chine. Deux ans auparavant, j'avais pu assister à la mise en œuvre d'un projet, sur le Yangtsé, consistant à sauver un magnifique poisson taillé dans la pierre par des pêcheurs il y a deux mille ans et qui allait être submergé par la montée des eaux.

Il s'agissait de construire une coque de plastique afin de permettre aux visiteurs d'apercevoir encore ce chef-d'œuvre de l'art populaire. Pour filmer, il avait fallu glisser la somme de 150 euros dans la main des responsables du service des antiquités. C'est dire si l'aménagement du fleuve et le sauvetage de l'héritage culturel du Yangtsé doivent profiter aux corrompus.

La montée des eaux a également permis d'accéder à des grottes accrochées aux parois et d'y découvrir des cercueils datant de la période des Royaumes combattants, 500 ans avant J.-C. Le bois a bien résisté. Dans cette atmosphère de brume froide et pesante, les squelettes tordus et grimaçants de ces hommes nous replongent dans les mystères du Yangtsé. Mais pour quelques sites sauvés ou retrouvés, des centaines d'autres sont à jamais engloutis dans les flots boueux.

Sur les rives, on devine encore les chemins de halage où des hommes à moitié nus tiraient les bateaux de toutes leurs forces avec des cordes de chanvre passées sous les aisselles, en chantant pour se donner le courage de remonter le fleuve.

Le barrage, avec ses vannes immenses, vomit un torrent puissant. On se sent fragile face à la force de l'eau dans un tel déluge. Il faut passer quatre écluses de géant pour accéder au lac de retenue. Nous sommes presque écrasés entre deux murs de béton de quarante mètres de haut, et il faut se tordre le cou pour voir le ciel. À bord, sur le pont, des cris, des éclairs de flash, des gestes d'admiration : l'excitation atteint son comble. Au bout de cinq heures de manœuvres, le passage est franchi et nous débouchons enfin à la lumière sur le lac de retenue, calme et ensoleillé malgré la brume persistante.

Avec le barrage, le site des Trois-Gorges est devenu un haut lieu du tourisme chinois. Les passionnés commencent la croisière cinq cents kilomètres plus haut, à partir de la cité grouillante de Chongqing, à bord de bateaux de deux cents places. Ils sont rouillés, repeints, rafistolés, crasseux, mais ils flottent. La tuyauterie est percée, l'odeur des toilettes et de la fumée de cigarettes vous prend à la gorge, la moquette est brûlée par les mégots et déchirée. Mais le touriste chinois est indifférent à l'état du bateau. Pour une centaine d'euros, il peut s'offrir quatre jours de croisière sur le plus grand fleuve de Chine, et c'est bien l'essentiel. Il passe son temps sur la passerelle à jouer aux cartes en croquant des pépins de pastèque et en buvant la bière locale. Il crache par terre et rigole fort, abandonnant ses déchets sur le sol quand il retourne dans sa cabine. Le personnel de bord est blasé et nettoie vaguement toutes les deux heures. Le soir, les touristes chinois se regroupent autour de la piste de danse qui sert surtout de karaoké, et les fausses notes résonnent sur le navire qui s'enfonce dans le gouffre noir des Trois-Gorges.

Tout au long du parcours et souvent même la nuit, les haut-parleurs décrivent les lieux traversés. Impossible de vivre le calme du fleuve. Le Chinois n'aime pas le silence ; il en a peur. En Chine, il faut toujours meubler l'espace avec des paroles ou de la musique, même quand on aborde des paysages grandioses comme le secteur dit des « Petites-Gorges ». Ces boyaux étroits font encore le charme du Yangtsé avec leurs parois abruptes tombant dans le fleuve et leurs habitants les singes, qui s'étonnent encore du passage des bateaux. Elles seront submergées elles aussi quand les eaux du fleuve auront monté jusqu'à cent soixante-quinze mètres et se transformeront en un banal couloir de navigation.

À bord des petites embarcations, les Chinois en gilet de sauvetage orange chantent et parlent fort. Ils font des photos dans toutes les directions et posent pour l'éternité avec les vêtements de paille que les paysans utilisent encore pour se protéger de la pluie. Ici, le voyage est d'abord une fête. Mais la poésie des Trois-Gorges est en train de disparaître au profit du monstre qu'est devenu le barrage. On ne chante plus les louanges du fleuve, les hommes qui halaient les bateaux se sont tus ; seul domine aujourd'hui le son des moteurs des péniches transportant le charbon ou le bétail et qui circulent plus librement, grâce à la largeur impressionnante du fleuve.

La Chine sait que l'eau est la richesse au monde la moins bien partagée, puisque le pays ne possède que 7 % des eaux de la planète, alors que les Chinois représentent plus de 20 % de la population du globe. Le sud de la Chine affronte chaque été des inondations catastrophiques pendant que la sécheresse progresse au Nord.

Sur les bords du fleuve Jaune, le grand Bouddha de Bingling-Si peut à présent se laisser approcher en voiture et non plus en bateau. Les bras du fleuve sont à sec. À deux mille kilomètres de là, près de Pékin, les premières dunes de sable venues du désert de Gobi ne sont qu'à soixante-dix kilomètres de la ville. La désertification gagne du terrain. « Planter un arbre » pour freiner la progression des sables est à présent un mot d'ordre chez les Chinois. Chaque année, les dirigeants du Parti, les députés, les enfants des écoles se doivent de faire ce geste pour le bien du pays. La pioche et l'arrosoir sont devenus les nouvelles armes du peuple. Même les étrangers de Chine sont sollicités pour participer au mouvement.

Car le risque est de taille : trois cents millions d'habitants du bassin du fleuve Jaune sont menacés par la sécheresse. En 1952, Mao Zedong a lancé une idée simple : « Prenons les eaux du Sud pour les envoyer vers le Nord si cela est possible... » Cinquante ans plus tard, le rêve a fait son chemin.

Sur le cours moyen du Yangtsé, des centaines de péniches évacuent le sable dégagé du fleuve. Les hommes creusent des centaines de kilomètres de canaux pour acheminer une partie des eaux vers le nord. À l'est du pays, les ingénieurs utiliseront même les anciens canaux impériaux qui sillonnent encore la région de Shanghai. Vers l'ouest, les travaux de dérivation du fleuve se heurtent à l'altitude des hauts plateaux tibétains. Il faudra donc du temps, mais cela n'empêchera pas le vieux rêve de Mao de se réaliser. Dans vingt ans, le Yangtsé arrosera le nord de la Chine et la région retrouvera peut-être sa fertilité.

5

BUSINESS ET POLLUTION

Si les Chinois avaient écouté les conseils et les avertissements lancés par la plupart des pays du monde, ils n'auraient pas construit le barrage des Trois-Gorges. Jamais projet n'a été autant critiqué, souvent à juste titre. Mais l'Empire rouge n'écoute guère les discours écologistes : « Nous le ferons, disent les dirigeants, quand nous aurons rattrapé le niveau des pays développés et que nous pourrons parler d'égal à égal. »

Il faut aimer les paysages industriels quand on descend le Yangtsé. Les temples et les jardins ne sont qu'une exception. Des entreprises multiples jalonnent le parcours dès qu'on a quitté Chongqing : cimenteries, usines sidérurgiques alimentées au charbon, fabriques de toute sorte. Chacun sait qu'elles déversent leurs déchets dans le fleuve et que les industriels chinois ne se posent guère de questions. Le Yangtsé, surnommé aussi le fleuve Bleu, est, en réalité, de couleur brune, un fleuve de boue, d'ordures et de rejets. Officiellement, le gouvernement a obligé sept cents usines à fermer leurs portes. Cinq centres de retraitement des eaux sont en construction, mais les spécialistes jugent cela insuffisant.

Sauver le dauphin blanc

Les opposants au projet ont dressé une liste impressionnante des nuisances que va entraîner la construction du barrage et nous en donnent une vision apocalyptique. L'immense lac de retenue va d'abord accentuer le réchauffement climatique et bouleverser la météo sur la région, car la biomasse dégagera de grandes quantités de gaz carbonique dans l'atmosphère... Le fleuve va creuser un peu plus son lit à cause de la réduction des sédiments, ce qui fera reculer le delta au niveau de Shanghai. Le ralentissement du débit entraînera la remontée des nappes salées. Les oiseaux en souffriront les premiers. Or la région du Yangtsé accueille, en saison, les grues de Sibérie, qui sont donc menacées, de même que le fameux dauphin blanc, le *baiji*. Son extinction a été annoncée, mais il a quand même fait une brève réapparition en amont du delta. Cinq mille de ces dauphins vivaient dans le Yangtsé il y a moins d'un siècle. S'ils s'éteignent, c'est que les eaux ne sont plus fréquentables. Les polluants toxiques qui se déversent dans le fleuve auront eu raison de leur combat pour survivre.

D'autres espèces aux noms exotiques seraient également condamnées à court terme, à cause des bouleversements provoqués par la construction du barrage, comme l'alligator chinois et le marsouin sans aileron...

Enfin, il y a ceux qui imaginent les scénarios catastrophe dont le barrage pourrait être victime : attaques terroristes, cible privilégiée en cas de guerre ou rupture de la masse de béton sous le poids incontrôlé des eaux. Après tout, les armées de Chiang Kai-shek détruisaient bien les digues pour inonder les régions où campait l'ennemi japonais, n'hésitant pas à faire des centaines de milliers de morts dans la population. Imaginez un dictateur faisant sauter le barrage des Trois-Gorges pour arrêter la progression d'un envahisseur. La Chine ne s'en remettrait pas.

Les dirigeants chinois, qui n'acceptent guère que le monde leur donne des leçons, comme Guo Tao, vice-président du barrage des Trois-Gorges, balaient d'un coup ces arguments. L'homme nous reçoit dans un bureau immense sous une vaste photo panoramique aux couleurs criardes du barrage en construction. Il semble sûr de lui : « Il fallait bâtir ce barrage. Il va réguler le cours du fleuve, freiner les inondations et permettre de développer la navigation. Pour produire l'électricité qu'il va fournir à nos usines, il faudrait utiliser cinquante millions de tonnes de charbon dans des centrales thermiques. C'est la solution la plus écologique qui soit. »

L'achèvement du barrage des Trois-Gorges cache difficilement la mise en place d'autres projets menaçants, sur le Mékong notamment. Au total, huit barrages vont couper le cours de ce fleuve qui arrose le Cambodge et le Vietnam, ce qui inquiète les pays riverains. Fatalistes, les pêcheurs du lac Tonlé Sap, au Cambodge, montrent mollement la Chine du doigt, mais, d'un autre côté, ils placent beaucoup d'espoirs dans l'aide économique que pourra leur fournir ce puissant voisin.

Quand les communistes sont arrivés au pouvoir, en 1949, il n'existait guère qu'une vingtaine de barrages. On en compte aujourd'hui plusieurs milliers. La Chine sait ce qu'elle fait, disent les dirigeants : le chef du Parti, Hu Jintao, est lui-même un ancien ingénieur en hydro-électricité. Alors qu'il s'installait au pouvoir, des entreprises d'État ont lancé un projet de construction de treize barrages sur le fleuve Salouen, qui s'écoule vers la Birmanie et la Thaïlande. L'un d'eux touchait une région que l'Unesco venait de classer au patrimoine de l'humanité. Le Premier ministre Wen Jiabao a demandé aux ingénieurs de revoir leur copie.

Certains esprits forts avaient qualifié la région de Wuxi, à deux heures de route de Shanghai, de « Venise de la Chine », avec son canal impérial encombré de péniches et quelques barques à fond plat où vivait encore une population de pêcheurs. Le lac Taihu, avec ses temples et ses îlots de verdure, servait même de refuge aux aventures romantiques de milliers de touristes chinois.

En l'an 2000, une algue parasite, née des déchets industriels et des ordures de la vie courante, a contaminé le lac. Les deux millions d'habitants de Wuxi ont dû renoncer à boire de cette eau réputée si pure et se sont repliés sur l'eau minérale, très coûteuse pour le Chinois moyen. En deux ans, le pouvoir a dû ordonner la fermeture de mille cinq cents usines qui rejetaient leurs déchets industriels dans les rivières alimentant le lac et débourser 10 milliards d'euros pour améliorer la qualité de l'eau.

L'Occident jugé responsable de la pollution chinoise

Le problème de la pollution en Chine a véritablement éclaté à la face du monde à l'automne 2005. Impossible pour le pouvoir de cacher pareille catastrophe. La ville de Harbin, au nord-est du pays, est en état de panique. La rivière Songhua qui commence à charrier les premiers glaçons de l'hiver, entraîne avec elle une nappe de benzène de plusieurs kilomètres de longueur : du poison pour ce cours d'eau qui alimente aussi des stations d'eau potable. Le pouvoir ordonne aux trois millions d'habitants de ne plus boire d'eau courante. Des dizaines de milliers de personnes sont contraintes d'évacuer la ville pour quarante-huit heures.

La nappe, hautement toxique, provient en réalité de l'explosion d'une usine pétrochimique, qui s'est produite dix jours auparavant, trois cents kilomètres en amont. La télévision a bien parlé de cet accident, qui a fait cinq morts et entraîné l'évacuation de dix mille personnes, mais le pouvoir local a gardé le silence sur les conséquences possibles de la catastrophe et s'est bien gardé d'avertir du danger les villes situées en aval.

Quand la nappe de benzène arrive sur Harbin, le directeur de l'usine responsable de l'accident se donne la mort. Il n'y a plus rien à faire, sinon laisser la couche toxique traverser la cité. Mais en aval, elle rejoint le fleuve Amour et menace les villes frontalières russes, comme Khabarovsk, ce qui provoque même une crise diplomatique entre Chine et Russie.

Heureusement, le froid fait son œuvre, et la glace qui saisit le fleuve en ce mois de novembre empêche les produits chimiques de se diluer. La Chine ne peut plus cacher l'état de son environnement. Le pouvoir politique est même contraint de faire ses excuses à la population de Harbin : une grande première...

La Chine s'éveille doucement à l'écologie. Aujourd'hui, Greenpeace a pignon sur rue à Pékin. Trois délégués dans une petite pièce d'un appartement en bordure du deuxième périphérique se partagent le travail. Leur installation dans la capitale a été rendue possible car il existait déjà un bureau de Greenpeace à Hong Kong et qu'aujourd'hui, l'ancienne colonie britannique a été rétrocédée à la Chine.

Leur cible principale ? Le charbon, avec la pollution qu'il entraîne. Il est partout car il fournit encore les deux tiers de l'électricité du pays. Mais sa poussière colle à la peau. Dans les cités du Shaanxi, elle obscurcit le ciel, se mêle au brouillard, s'abat sur les hommes et sur les maisons. Elle fait suffoquer les habitants qui, eux aussi, se chauffent au charbon. Un rapport de la

Banque mondiale, vite étouffé, estime que sept cent cinquante mille personnes meurent prématurément chaque année de maladie pulmonaire à cause de la pollution atmosphérique en Chine.

À cela, les Chinois répondent que l'Occident est en grande partie responsable de la pollution dans l'Empire rouge, car les usines tournent pour fabriquer des produits exportés ensuite vers l'Amérique et l'Europe afin de satisfaire les besoins de notre société de consommation.

La Chine n'est pas prête à changer ses ressources d'énergie ; elle entend bien exploiter son or noir jusqu'à la fin du siècle et profiter jusqu'au bout de cette ressource traditionnelle qui lui revient quatre fois moins cher que le pétrole. Le pays s'est quand même lancé dans les énergies nouvelles. Sur les plateaux du Xinjiang, balayés toute l'année par des vents violents, des centaines d'éoliennes émergent des collines. Les ingénieurs chinois en ont même installé une trentaine aux abords du village olympique à Pékin, pour alimenter symboliquement les résidences des athlètes. Mais cette forme d'énergie ne dépassera jamais plus de 3 % de la production électrique chinoise.

Les dirigeants et les industriels prennent lentement conscience que le progrès économique passe aussi par le respect de l'environnement. Peut-être les Chinois doubleront-ils l'Occident dans leurs recherches et dans ses applications, car les décisions en Chine sont immédiates et autoritaires. En attendant, l'état des lieux est catastrophique.

Les damnés de l'électronique

Dans cette Chine en pleine ébullition, il est des endroits maudits. Le « village » de Taizhou en fait partie.

Ses cent mille habitants vivent essentiellement du recyclage des ordinateurs venus de tout le pays, mais aussi du monde entier. La moitié des ordinateurs de la Silicon Valley échouent ici en fin de vie. Sauf qu'à Taizhou, c'est la cour des Miracles, et les journalistes ne sont pas les bienvenus.

Depuis Canton, nous avons changé deux fois de voiture, par précaution. Le chauffeur de taxi qui nous conduit à Taizhou ne veut pas savoir qui l'on est. Il fume et conduit avec négligence. Ce qui lui importe, c'est le prix de la course : 300 yuans, 30 euros pour cinquante kilomètres. Un bon prix en Chine, mais nous n'avons pas trop cherché à marchander. Il nous laisse à l'entrée du « village ».

Première vision : celle des déchets électroniques qui encombrent les bords de la rivière. L'eau est polluée, tout comme la nappe phréatique, à tel point qu'il faut faire venir l'eau potable d'ailleurs.

Une poignée d'hommes grattent les tas d'ordures pour en extraire quelques pièces d'ordinateur. Nous n'osons pas sortir la petite caméra de touriste qui, pour des raisons de discrétion, sera notre seul outil de travail. Nous engageons la conversation avec une famille. Sylvain Giaume filme habilement les enfants pour ensuite dériver sur le groupe de femmes qui dépiautent des kilomètres de câbles afin de récupérer le cuivre.

Des camions entiers apportent des écrans à recycler en provenance de Hong Kong ; des dizaines d'ordinateurs arrivent, ficelés sur des triporteurs. Une femme, assise sur un tabouret à même le trottoir, fait brûler des composants électroniques dans une poêle à frire pour les séparer des soudures. Toute la journée, elle respire une odeur âcre et toxique, faite de cyanure et de cadmium, sans que cela inquiète son chef : « Je sais que c'est mauvais pour la santé, mais je n'ai pas le choix ! » nous lance-t-elle. Elle est venue directement de sa campagne de l'Anhui. La plupart des gens qui manipulent ces déchets électroniques viennent des provinces pauvres, comme Jichun, qui fait ce travail depuis un an, sans vraiment se plaindre : « Dans mon village, il n'y a rien à faire ; tout le monde veut partir. Travailler la terre, c'est encore plus dur que de travailler ici. »

Nous nous faufilons dans les rues de Taizhou, sous les porches et dans les cours, alors que la police patrouille en permanence. Elle ne recherche pas spécialement les journalistes ou les étrangers, qui sont peu nombreux à venir ici ; elle fait régner son ordre, empêche les rixes entre les ouvriers de ces petites entreprises familiales et accorde ainsi sa bénédiction à ce travail clandestin.

Les autorités devaient fermer l'endroit, ou au moins bâtir une usine de recyclage des ordinateurs en mettant en place toutes les mesures de sécurité nécessaires. Elles n'ont rien fait. Nos déchets électroniques alimentent ainsi le marché clandestin de Taizhou, dont les revenus profitent aussi bien à la police locale qu'aux potentats qui exploitent les gens du village. On dit que le monde en produit quatre mille tonnes par heure. Alors, les habitants de Taizhou auront du travail pendant longtemps encore.

6

JO 2008, OU LA VIE À L'ENVERS DES HABITANTS DE PÉKIN

Un froid sec et mordant régnait sur Pékin quand la délégation du Comité olympique est venue visiter la capitale chinoise pour vérifier si elle était digne d'accueillir les JO. C'était en février 2002. Les aciéries et les milliers de chauffages domestiques fonctionnant au charbon crachaient leur fumée sur la ville. Les autorités décidèrent carrément d'interdire à deux quartiers populaires de Pékin de faire fonctionner les poêles et les chaudières.

La population s'est pliée sans rechigner aux ordres du pouvoir, dans l'intérêt supérieur de la ville et pour l'honneur des Jeux. Ainsi la délégation olympique a-t-elle pu respirer un air pur, dans une cité classée pourtant parmi les plus polluées du monde. Après avoir été élue capitale olympique pour les Jeux de 2008, Pékin a même déplacé de deux cents kilomètres l'usine sidérurgique de Shogang, qui crachait ses fumées sur la ville. Elle employait plus de cent mille personnes. Avec toutes ces mesures, le pouvoir estime qu'il a fait gagner à Pékin cent jours de soleil supplémentaires par an. Les habitants en doutent.

Pour accueillir les Jeux, la Chine était prête à tout. Les transformations de Pékin sont là pour le prouver. Les problèmes d'expulsion sont rapidement réglés dans pays. Les gens ont en général un mois pour plier bagage avant l'arrivée des bulldozers. Dans l'ensemble, ils ne rechignent pas. Seuls quelques habitants se regroupent pour demander plus d'indemnités ; d'autres ignorent l'endroit où ils seront relogés et manifestent devant le bureau des plaintes. De toute façon, les plans du nouveau Pékin sont déjà tracés. Tous les Pékinois peuvent les voir exposés sur un parterre géant, à côté de l'ancienne gare de la ville et deviner facilement à quoi ils doivent s'attendre.

En quinze ans, Pékin a perdu son visage de cité horizontale avec ses petites maisons et ses ruelles ombragées, pour passer à celui d'une ville verticale avec ses bâtiments neufs et élancés, comme si elle voulait copier l'architecture très osée de Shanghai. Les Jeux olympiques n'ont fait qu'accélérer le processus. À la veille des compétitions, les deux tiers de la vieille cité auront disparu. Faut-il le regretter ? Pas sûr.

Ces ruelles, les fameux *hutongs*, étaient, la plupart du temps, insalubres et malodorantes, les toilettes, communes à toute une rue. Ainsi en avait décidé le Parti afin de gagner de l'espace. Les petits poêles à charbon, alimentés en briquettes, dispensaient une odeur âcre dans le quartier et il ne faisait pas bon y respirer. Un pan entier de la capitale chinoise s'est effondré avec ces destructions.

La ville avait une âme : celle des retraités avec leurs oiseaux, qui doivent aujourd'hui se replier sous des ponts d'autoroute pour se rencontrer, celle des petits métiers comme le rémouleur qui actionnait sa sonnette en passant dans les ruelles, celle du marchand de briquettes au visage noirci de poussière de charbon, avec son triporteur sans frein, qui hélait les passants. Aujourd'hui le rouleau compresseur de la destruction est en marche et ne s'arrêtera pas pour si peu, pas même après les Jeux. La génération qui a connu les

JO 2008, OU LA VIE À L'ENVERS DES HABITANTS DE PÉKIN

privations et les violences de la révolution culturelle voit, avec un sentiment mêlé de crainte et d'admiration, pousser des immeubles en béton qui écrasent ce qui reste de leurs quartiers.

Le scénario de la destruction est devenu classique : les services de la ville peignent sur les maisons le mot *chaï* : « à détruire », dans les quartiers qu'il faut raser. Parfois, les habitants découvrent cette inscription sur leurs murs avant même d'avoir reçu la lettre d'expulsion. Qu'importe ! Ils devront avoir déménagé dans le mois qui suit, car les bulldozers ne s'arrêteront pas pour les retardataires. On leur propose généralement une indemnité et un logement situé souvent à une vingtaine de kilomètres du centre-ville, avec des moyens de transport incertains. C'est ce qui les fait tiquer.

Détruire sans préavis

J'assiste, ce jour-là, à la destruction d'une rue entière du quartier de la Tour-du-Tambour. Une vaste avenue doit couper le quartier pour gagner directement le deuxième périphérique. C'est la consternation. Les commerçants et les habitants ont voulu rester jusqu'au bout. Nous sommes dimanche ; il est 4 heures de l'après-midi. Même les cuisiniers du restaurant sont encore en tenue avec leurs blouses à la couleur douteuse et leur toque blanche. L'un d'eux a gardé sa louche à la main, comme s'il allait reprendre du service alors qu'on est en train d'abattre le restaurant.

Tout ce petit monde regarde stupéfait la pelleteuse défoncer les murs et amasser les gravats. Quelques policiers guettent les réactions. Ils n'apprécient pas trop ma présence ; les gens non plus d'ailleurs : « Ça ne regarde pas les étrangers, me lance un habitant en tricot de

peau, c'est une affaire entre Chinois ! » Les travaux sou-
lèvent tellement de poussière que les ouvriers tendent
des filets noirs pour empêcher les fines particules de se
répandre sur la ville.

Parfois, ils détruisent une ancienne maison traditionnelle à cour carrée qui a pu appartenir à quelque vieille
famille. Les démarches pour empêcher les démolitions
n'aboutissent guère, car les plans sont déjà tracés et, en
quelques minutes, l'affaire est réglée. Mais la résistance
existe. Dans le quartier de Qianmen, à dix minutes à
pied de la Cité interdite, des centaines de familles ont
été expulsées, leurs maisons rasées en vue de la
construction d'un immense centre commercial et de
logements neufs, dont on voit la maquette sur les pan-
neaux publicitaires entourant le chantier.

Cette fois, les gens se plaisent à prendre l'étranger
comme témoin de leur malheur et ils parlent, comme la
famille Zhang. Elle habite une vieille maison à cour
carrée. Trois générations y vivent encore : le fils, avec sa
femme et leur fille, et le père, malade.

« La date limite du déménagement est fixée au
20 juin, me dit le fils. Nous attendons qu'ils viennent
nous chasser. Nous n'avons pas le choix. Nous
n'avons pas choisi non plus le quartier où ils veulent
nous installer en banlieue. Il n'y a pas d'hôpital correct
pour que mon père se soigne. Nous ne sommes pas
d'accord pour y aller. De plus, il sera très difficile de
trouver une bonne école pour ma fille. Nous vivons à
cinq dans 15 m², mais derrière la maison, nous avons
construit une petite chambre, sans la déclarer bien sûr.
L'appartement qu'on nous propose est trop petit pour
que nos trois générations puissent le partager. Il n'atteint pas les normes municipales, c'est-à-dire 15 m²
par personne. Voilà pourquoi nous ne sommes pas
partis. L'indemnité est insuffisante pour acheter un
nouvel appartement. »

Huit familles vivaient dans cet ensemble de maisons à cour carrée. Elles sont toutes parties avec une compensation financière. Elles ont accepté d'être relogées car elles avaient mis de côté quelques économies avec lesquelles elles ont pu acheter un logement décent, même en banlieue de Pékin. D'autres ont quitté l'endroit provisoirement pendant les travaux, mais reviendront pour habiter les nouveaux logements plus chers, qui seront construits à la place.

Le marché immobilier fonctionne à plein, et « Pékin la rouge » a même lancé une « foire à l'immobilier » en plein centre-ville. Une foule se presse autour des maquettes illuminées où les immeubles élancés sont bordés de jardins et de ruisseaux. Les clients achètent parfois plusieurs appartements avec l'intention de se lancer dans la spéculation. On y rencontre de jeunes couples prêts à s'endetter pour obtenir un logement dans une résidence de luxe. Mais le client est parfois trompé. Des familles qui ont acheté une résidence sur la foi d'une simple maquette ne retrouvent pas, sur place, le terrain de sport ou le jardin qu'on leur avait promis, et la colère monte.

En circulant dans la capitale olympique, on peut tout de suite deviner ce que sera Pékin dans les dix ans qui viennent. La plus grande avenue, Chang'an, fait déjà plus de quarante kilomètres et traverse la cité d'est en ouest, avec cinq voies de circulation de chaque côté. La cité achève à la hâte la construction de son sixième boulevard périphérique. Il ne sera pas inutile quand on voit l'engorgement des grandes artères. On compte à Pékin plus de trois millions et demi de voitures, mais surtout, un millier de véhicules sont immatriculés chaque jour par la police.

Pékin, c'est le « tout-voiture ». On y voit circuler la bourgeoisie montante et les parvenus. Ils sont fiers de se déplacer dans une grosse cylindrée, de préférence allemande, avec, bien sûr, les vitres teintées, et de montrer leur réussite sociale. Le tracé des avenues a été calculé pour que le flot des véhicules ne soit jamais interrompu. Les autorités chinoises disent que c'est leur façon à elles de lutter contre la pollution automobile : empêcher les embouteillages. Le succès de l'opération n'est jusque-là guère concluant...

Les vélos résistent, mais sont réservés aux classes modestes. La petite reine en Chine, qui trôna pendant des décennies et fit circuler des milliards d'hommes, devient le véhicule du pauvre. Même les amateurs de bicyclettes achètent aujourd'hui à bas prix des vélos électriques.

Pékin a vécu jusque-là avec deux lignes de métro : étonnant pour une ville de seize millions d'habitants, dont quatre millions de travailleurs migrants. Elle en construit six autres pour les Jeux olympiques. Mais la distance entre les stations est immense, et le piéton chinois ne s'oriente pas forcément vers ce moyen de transport. Sauf pour rentrer chez lui quand il habite en banlieue, à quarante kilomètres du centre-ville.

Le rêve de la cité est de ressembler à une capitale occidentale, à l'échelle de la Chine bien sûr. Centres commerciaux, grands magasins, larges avenues, gratte-ciel imposants. Les publicités géantes, qui envahissent les rues et servent parfois de cache-misère, sont devenues, pour les vieux Pékinois, un spectacle et un rêve inaccessible. Toutes les grandes marques mondiales sont là, celles de la mode italienne, des ordinateurs américains ou taïwanais, de l'électronique japonaise, des voitures allemandes, des lunettes ou des montres de luxe.

Un concessionnaire Ferrari a même ouvert ses portes. Une centaine de nouveaux riches chinois se sont offert cette voiture de sport. Il y a, à Pékin, un appel fou à la consommation : les grands magasins

sont toujours pleins à cause de la densité de population et restent même ouverts jusqu'à 22 heures le soir.
Mais l'effet est trompeur. La grande majorité du petit
peuple continue à compter son argent pour financer
les « quatre montagnes » : l'éducation des enfants, le
logement, la santé, la vieillesse. La véritable inquiétude de la population se situe à ce niveau, et non pas
dans les résultats des compétitions olympiques.

Étouffer les plaintes

Bien avant le jour « J » des Jeux, le pouvoir a voulu
« nettoyer » la ville. J'ai vécu les derniers jours du
bureau des plaintes, qui attirait des centaines de
citoyens, paysans ou citadins venus réclamer justice,
une vieille coutume héritée de l'Empire. L'endroit
n'est pas fléché mais il est repérable. La rue s'appelle
même « la rue du bonheur » et donne accès à un bâtiment gris anodin, dépendant de la Cour suprême.
C'est le royaume de la détresse. Des dizaines de personnes qui semblent démunies dorment sur les trottoirs, avec un dossier ou simplement une lettre
qu'elles protègent sur leur poitrine, comme si quelqu'un voulait la leur voler.

Les plus aisés trouvent à se loger chez les marchands
de sommeil du quartier, qui exploitent la misère de ces
gens désorientés. Certains plaignants viennent protester
contre une décision arbitraire de justice, d'autres pour
une réquisition de terre ou une expulsion inexpliquée,
un licenciement abusif ; ceux-là veulent défendre leur
quartier menacé de démolition. Douze millions de
plaintes ont été enregistrées en 2005, trois fois plus qu'il
y a dix ans ; c'est dire la colère des Chinois face aux
situations injustes engendrées par un développement
accéléré du pays.

Parfois, des hommes de main employés par les entreprises mises en cause cherchent à dissuader les plaignants de déposer leurs lettres ; la police fait aussi régulièrement des descentes, et certains se retrouvent en prison, voire en hôpital psychiatrique, car celui qui proteste contre la décision d'un patron ou celle du gouvernement ne peut être qu'un déséquilibré...

Aujourd'hui, le pouvoir fait raser l'endroit pour y construire la grande gare du Sud et des espaces verts. Les plaignants n'ont plus de lieu de rassemblement. C'était le but recherché. Car, à chaque événement, à chaque fête nationale, les mécontents en profitaient pour s'infiltrer sur la place Tiananmen et clamer leur colère en brandissant une banderole ou une lettre. Pékin veut éviter ce genre de scène à l'avenir.

Les autorités mobilisent aussi régulièrement les membres des comités de quartier, les nouveaux gardes rouges, avec leurs brassards qu'ils arborent fièrement. On estime à six cent mille le nombre de ces mouchards qui infiltrent tous les quartiers de Pékin et, pour quelques dizaines de yuans par mois, dénoncent à la police les comportements suspects. À chaque événement marquant, on les retrouve, chassant les joueurs de cartes et les prostituées, les petits marchands clandestins de DVD ou les revendeurs de produits contrefaits. Ils sont censés symboliser la rigueur morale qui doit régner sur la capitale. Ils n'en sont pas moins vénaux eux aussi et, derrière les apparences, les trafics continuent.

Depuis que Pékin prépare les Jeux, un nouveau code de conduite est imposé aux citoyens : l'interdiction de cracher par terre ou de se promener torse nu en ville, même dans les chaleurs de l'été. Mais les habitudes ont la vie dure, et la population fait de la résistance. Se racler la gorge est une tradition appréciée dans une ville où la pollution encombre souvent les voies respiratoires, et il n'est pas question d'y renoncer. Les Pékinois, dans leur malice habituelle, apprennent seulement à se cacher.

7

LA CICATRICE TIANANMEN

Tiananmen représentait pour moi l'aboutissement de tout voyage à Pékin. J'aime y aller à bicyclette, pénétrer en deux-roues sur ce lieu historique qui fait sept fois l'étendue de la place de la Concorde, en pédalant aux côtés des Chinois.

Nous sommes en juillet 2000 quand j'aborde la place pour la première fois. Je suis venu repérer les lieux pendant une semaine avant de m'installer en Chine. Il fait chaud, la brume et l'humidité créent une atmosphère pesante et mystérieuse. Je repère le balcon de l'Hôtel de Pékin d'où a été photographiée et filmée la progression des chars le 4 juin 1989. Les Chinois qui passent ici ne savent rien de cette séquence qui a pourtant fait le tour du monde. Elle sert aujourd'hui encore de référence et de symbole à la révolte de Tiananmen : un homme, seul, fait barrage au premier blindé d'une colonne de dix-sept chars au lendemain de la répression du 4 juin qui avait fait plusieurs centaines de morts.

Il est en chemise et porte deux sacs en plastique à la main, ce qui ne le désigne pas forcément comme un farouche militant. Il se déplace de droite à gauche pour empêcher clairement le blindé d'avancer. Le conducteur du char semble désorienté par son attitude et ne force pas le passage. D'autres clichés le montrent ensuite conduit sans violence par un groupe d'hommes en civil et entretenant avec eux une conversation tranquille. Certains ont écrit qu'il s'agissait de sympathisants étudiants venus le raisonner, d'autres de policiers du bureau de la Sécurité publique qui, se sachant filmés par les caméras des télévisions étrangères postées sur les balcons de l'Hôtel de Pékin, n'ont voulu exercer aucune violence à son encontre de peur que leurs pratiques soient dénoncées.

À ce jour, personne n'a pu répondre à la question : qu'est devenu le « résistant » de la place Tiananmen ? Des conseillers de Richard Nixon ont déclaré qu'il avait été fusillé quinze jours plus tard. Un journal de Hong Kong affirme qu'il se cache à Taïwan. L'ancien président Jiang Zemin, dans une interview accordée à la journaliste de télévision Barbara Walters, « croit savoir » que l'homme n'a pas été tué...

Les hypothèses ne manquent pas, et il sera difficile de mettre fin à ce récit devenu légende. À chaque événement historique, nous avons sans doute besoin de nous raccrocher à des symboles. Celui-ci reste si vivant et si présent qu'il fait passer au second plan la véritable répression de la place Tiananmen. Elle fut pourtant courageusement filmée, avec ses morts et ses blessés, par les cameramen des télévisions étrangères et des agences d'images présents à Pékin. Mais le citoyen chinois qui passe ici ne sait rien de ces événements, pas même les étudiants d'aujourd'hui qui, parfois, s'adressent à l'étranger que je suis pour essayer d'en savoir plus. Ni le Parti communiste, ni le pouvoir chinois ne reconnaîtront et n'expliqueront devant l'histoire ce que fut la révolte du printemps 1989 et le bain de sang qui s'ensuivit.

Tiananmen reste un nom qui sonne faux. La « porte de la paix céleste » ne rappelle ni la paix ni le ciel. La fête nationale du 1er octobre, qui marque le jour où Mao proclama la République populaire en 1949 devant un vieux micro qui restituait un son nasillard, est toujours un événement sous tension : pas de parade, pas de défilé. C'est la fête de la peur. Le régime craint cette échéance. Il fait surveiller les dissidents durant les trois semaines qui précèdent la date, mobilise les comités de quartier avec leurs brassards rouges pour que tout mouvement suspect soit signalé, arrête les porteurs de pétitions venus déposer leurs requêtes à la mairie, expulse les mendiants, les prostituées ou les demandeurs d'emploi. L'ordre doit régner à Pékin et, en particulier, à Tiananmen.

Rencontre avec la « secte maléfique »

Ce matin du 1ᵉʳ octobre 2000, les militaires sont partout présents sur et sous la place, dans les tunnels et les passages souterrains. L'unité d'élite de l'Armée populaire a procédé comme d'habitude au lever du drapeau rouge devant un millier de curieux venus des campagnes du Henan ou du Shanxi et pour qui c'est, sans doute, le premier voyage à Pékin : visages ébahis, admiratifs face à ce soldat aux gants blancs qui, d'un geste magistral, jette vers le ciel le drapeau rouge étoilé qui sera hissé au sommet du mât.

Que savent ces paysans de l'histoire réelle de Tiananmen ? Quelle version ont-ils retenue de la répression des manifestations de 1989 dans leur campagne profonde ? La propagande du régime, qui continue de justifier la répression par une « tentative de rébellion contre-révolutionnaire », est-elle entrée dans les cerveaux de ces paysans chinois ? Je n'ose guère leur poser la question pour ne pas mettre mal à l'aise ces hommes et ces femmes qui, déjà, restent bouche bée devant la caméra.

De toute façon, nous sommes venus pour autre chose. Ce jour de fête nationale est celui qu'a choisi le

Vatican pour canoniser cent vingt martyrs de l'Église chinoise. « Une provocation », dit le pouvoir communiste qui, par le biais de l'Église patriotique (officielle), vient d'ordonner cinq évêques sans en référer au Saint-Siège. À la veille de la fête nationale, un porte-parole de l'Église officielle de Chine a justifié devant notre caméra le mépris du pouvoir face à cette mesure prise par le Vatican : « Cette canonisation touche une période qui va jusqu'aux années 1930, quand la Chine était envahie par les impérialistes. Les missionnaires chrétiens étaient mêlés à ces actes d'agression. Ils ont joué un rôle douteux, et le Vatican les a désignés comme martyrs. C'est une offense pour la Chine. »

Nous sommes donc à Tiananmen pour illustrer la réaction des Chinois face à cette canonisation. Pas facile de filmer à cet endroit très sensible de Pékin avec une caméra professionnelle. Il a fallu demander la permission dix jours à l'avance, au ministère des Affaires étrangères et à la mairie de Pékin. C'est la démarche habituelle. Il faut toujours expliquer le thème du reportage, dire si l'on va poser des questions aux gens et quelles questions, si l'on va faire un commentaire face caméra et ce que l'on va dire. Au bout de plusieurs jours, les autorités donnent ou ne donnent pas la permission mais, en cas d'accord, elles fixent elles-mêmes la date et l'heure du tournage, ce qui n'empêche pas la police sur place de vérifier encore nos papiers toutes les dix minutes.

L'atmosphère paraît plutôt bon enfant : gamins avec drapeaux rouges étoilés, photos de familles à la chaîne, vendeurs de cerfs-volants, cartes postales. Tristan Le Braz fait quelques portraits à la caméra pour montrer que la population n'est pas touchée par cette initiative du Vatican, qui reste le dernier de ses soucis. La presse chinoise ne dénonce même pas cette mesure. En revanche, le thème passionne le monde catholique en

Europe. Il symbolise la volonté du pouvoir chinois de garder le contrôle sur l'Église de Chine, notamment sur les nominations d'évêques, et d'avoir son mot à dire dans ces canonisations, surnommées les « gesticulations du Vatican ».

En quelques secondes, notre reportage prend une tout autre tournure. Une femme se plante devant la caméra et déploie une banderole que nous avons à peine le temps de lire. Elle plaide la cause du mouvement Falun Gong, dont plusieurs dizaines de militants sont emprisonnés en Chine.

L'histoire de ces militants martyrs est présente à mon esprit. L'année passée, dix mille sympathisants de cette cause ont réussi à encercler le siège du pouvoir à Pékin pour demander la libération de leurs membres détenus, sans même que les dirigeants chinois ne soient avertis de ce qui se préparait. Le Parti communiste a donc peur. Il a formellement interdit le mouvement. C'est que le Falun Gong se bat sur son propre terrain. Il prétend compter autant d'adhérents que le Parti : soixante-dix millions. Ses sympathisants sont issus de tous les milieux : cadres, retraités, petites gens, mais aussi des policiers et même des militaires.

Comment, dans ces conditions, le pouvoir peut-il les laisser s'exprimer sans encadrement ? Ils jurent pourtant à qui veut les entendre qu'ils n'ont aucun objectif politique : « Nous ne sommes ni un parti ni une religion, mais simplement une école de qi gong. Nous n'avons pas de temples et pas de liturgie, ni de hiérarchie religieuse », dit leur chef, Li Hongzhi.

L'homme s'est réfugié aux États-Unis et fait l'objet d'un mandat d'arrêt international lancé par le pouvoir chinois, mais n'a jamais été inquiété par les autorités américaines, au nom de la liberté de croyance. Il estime avoir reçu en héritage la leçon de sagesse de dizaines de maîtres venus de l'univers. Il a mis au point une doctrine baptisée « Roue de la loi » *(Falun)*, qu'il enseigne à ses disciples : « Quand je fais ces exercices, je sens un flux d'énergie qui circule en moi et, pendant la phase de méditation, je me sens apaisée », nous dit une sympathisante du mouvement.

En fait, des dizaines de milliers de gens en Chine et de par le monde se reconnaissent dans cette doctrine simple. À l'heure où le système de santé ne protège plus qu'une minorité de Chinois, ce style de vie crée un lien de solidarité au sein de la population. Voilà pourquoi le mouvement recueille autant d'adeptes et que le pouvoir en a si peur.

Le temps d'un éclair, trois hommes ont ceinturé la femme qui avait déployé sa banderole. À Tiananmen, un passant sur deux est un policier, un indicateur ou un homme de main. Ils s'habillent en touristes, en punks ou en marchands ambulants. Un important réseau de caméras, dissimulées dans des lampadaires, balaye également la place nuit et jour. Difficile de manifester plus de dix secondes.

Trois personnages en civil ont ceinturé Tristan, le cameraman, qui, involontairement, a filmé quelques images de la scène où cette femme s'est imposée devant l'objectif. Des camions de la police stationnent en permanence sur la place, et nous sommes immédiatement embarqués.

Tristan efface habilement le passage qui risque de compromettre notre reportage. Les palabres vont durer une petite heure avec prise d'identité et numéro de cartes de presse, alors que nous possédons une autorisation officielle. Mais les policiers nous annoncent que la permission s'est trouvée annulée en raison des événements de la matinée. Peu de temps après le lever du drapeau, un groupe de militants Falun Gong s'est rassemblé quelques secondes sur la place en demandant la libération de leurs camarades. On l'ignorait, mais la tension a monté d'un cran sur Tiananmen. Les journalistes, même accrédités, sont devenus indésirables.

Quelques mois plus tard, pour le nouvel an chinois, cinq membres du Falun Gong vont s'immoler par le feu, au même endroit, pour demander la libération de fidèles emprisonnés. Les caméras de surveillance ont filmé le drame, et la Chine va s'en servir pour dénoncer les actions de cette « secte maléfique ». Une femme est morte brûlée vive, une enfant est grièvement blessée. La télévision en présente de longues minutes afin de dénoncer l'action des Falun Gong et cette forme de propagande va finalement payer.

Un réveil nationaliste

Une seule fois, en six ans, j'ai pu assister à une manifestation spontanée sur cette place, en juillet 2001, le jour où la ville de Pékin a remporté le titre de capitale olympique pour les Jeux de 2008. Officiellement, aucune festivité n'avait été prévue. Le pouvoir avait peur d'annoncer les préparatifs d'une fête quelconque et de voir finalement la victoire lui échapper, comme en 1998. Mais, cette fois, Pékin allait être choisie. Le résultat est annoncé sur grand écran devant le parvis du Millénium, vaste esplanade créée pour saluer l'arrivée du xxıe siècle.

La future capitale olympique s'est en réalité préparée à cette victoire dans le plus grand secret. Des feux d'artifice éclatent un peu partout, d'immenses drapeaux rouges sont déployés dans les rues par des manifestants qui répondent apparemment aux mots d'ordre du Parti.

Il faudra attendre plus de deux heures pour que la population de Pékin puisse enfin se rassembler à Tiananmen. Jiang Zemin, le président du moment et chef du Parti, se risque même à un discours, du balcon de la porte sud où Mao proclama la République populaire, alors qu'à ses pieds, je vois pour la première fois des Chinois montés sur des motos américaines Harley-Davidson faire le tour de la place en chantant. Les slogans nationalistes ne manquent pas. Ils sont lancés par des jeunes déterminés qui scandent la victoire de la Chine autour d'un immense drapeau rouge tenu horizontalement aux quatre coins. Cette fête, qui nous replonge dans un certain fanatisme qu'a pu connaître l'Empire rouge, me fait froid dans le dos. Elle va durer jusqu'à l'aube et marquera, à sa manière, l'histoire de Tiananmen.

En Occident, tout le monde pense que l'armée et le peuple chinois défilent encore sur la place pour la fête du 1er mai, ou pour l'anniversaire de la fondation de la République populaire. Il n'en est rien. Le régime redoute trop les troubles de l'ordre public. Le dernier défilé militaire sur cette place maudite a eu lieu le 1er octobre 1999 pour le cinquantième anniversaire de la naissance de la Chine communiste. Mais, depuis, plus rien. Pour les cinquante-cinq ans du régime, le pouvoir s'est contenté d'organiser une démonstration de gymnastique et de danse avec force drapeaux rouges. Les minorités soi-disant présentes étaient, en fait, des Chinois déguisés en Tibétains, en Mongols ou en Miao… Les médaillés olympiques des jeux d'Athènes étaient là pour nous répéter des phrases toutes faites : « J'ai vu se lever notre drapeau rouge sur les jeux d'Athènes et, aujourd'hui, c'est sur notre terre que je veux voir aussi s'élever le drapeau de la Chine. » Pékin ville olympique a finalement pris le risque de donner le départ du marathon des Jeux sur cette place, afin que le sport fasse oublier le sang versé. C'est aussi une première.

Grand-messes communistes

Dix-sept ans après la répression du mouvement étudiant, Tiananmen transpire encore la violence, la suspicion et la méfiance. Même quand elle s'organise pour les grands jours : congrès du Parti, anniversaires de la République populaire ou Assemblée nationale. Le côté stalinien du palais du Peuple a de quoi donner des frissons. Malgré cela, je ne peux m'empêcher de trouver à ces grand-messes communistes quelque chose de fascinant. Sous les plafonds immenses décorés de l'étoile rouge illuminée, les hommes ne semblent pas peser lourd. Quand résonne l'hymne national, qui marque toutes les ouvertures des séances de l'Assemblée populaire, même les journalistes étrangers que nous sommes doivent se tenir debout.

Ces rassemblements en disent long sur le caractère du régime communiste chinois et sur les personnages qui sont aux commandes. Pour l'Assemblée populaire annuelle, ils arrivent en masse : trois mille députés, dont 10 % sont des militaires. Avec eux apparaissent aussi les représentants des cinquante-cinq minorités du pays : Zhuang, Ouïgours, Naxi, Miao, Mongols, tous décidés à faire entendre leurs voix, même si cette assemblée n'a qu'un rôle purement consultatif. Nous avons dû nous inscrire plus de trois semaines à l'avance pour obtenir un laissez-passer et une accréditation. Il a fallu pénétrer dans le Palais du peuple au moins une heure avant les dirigeants : des hommes inaccessibles, qu'on ne peut approcher à moins de vingt mètres.

Pour l'occasion, la place Tiananmen est bouclée, des militaires postés à l'entrée des souterrains. L'accès au palais, qui porte mal son nom, est bien sûr fermé au peuple et porte mal son nom. Dans toute la ville, des comités de quartier, ces indics qui dénoncent toute activité anormale, sont mobilisés. Et l'ordre règne à Pékin.

En six années de Chine, je n'ai pas manqué une seule séance de l'Assemblée populaire, car j'aime ce grand spectacle et ce décorum que l'Empire rouge a jugé utile de garder pour impressionner le monde. Malheureusement, les représentants de l'armée ou des minorités nationales n'ont guère envie d'exposer les problèmes de leur province à des journalistes étrangers lors d'un instant aussi grave. Quand une loi est votée, c'est en général à l'unanimité. En février 2005, l'Assemblée populaire trouvait une belle cohésion en adoptant la loi dite « antisécession ». Elle visait à impressionner Taïwan en considérant comme un acte de guerre toute déclaration d'indépendance. L'effet a parfaitement réussi.

Chaque année, la Chine déclare à cette occasion qu'elle augmente d'au moins 10 % le budget de sa défense. Mais il est impossible de vérifier ces chiffres, et nous retiendrons surtout le message politique qui consiste à annoncer cette mesure en pleine session du Parlement.

L'apothéose de ce rassemblement annuel est la conférence de presse du Premier ministre chinois. Elle se prépare plusieurs semaines à l'avance. Le service de communication du ministère des Affaires étrangères appelle les journalistes quinze jours avant, pour savoir s'ils ont des questions à poser. Cette année, je propose une question sur le coût trop élevé de l'éducation, qui prive souvent les enfants de paysans, surtout les filles, de toute scolarité. La Chine se situe au-dessous du niveau imposé par les Nations unies, qui veut que tout pays consacre au moins 4 % de son produit national brut à l'éducation de ses enfants. Ma demande est retenue sans commentaires.

Le jour de la conférence de presse, j'arrive avec une heure d'avance au Palais du peuple, place Tiananmen. Tous les premiers rangs sont déjà occupés par les journalistes chinois. Comme par hasard, un journaliste de l'agence officielle Xinhua est désigné pour poser la première question sur Taïwan et les dangers du séparatisme, question visiblement inspirée par le pouvoir! Je ne cherche pas à placer la mienne; déjà une dizaine d'autres doigts se sont levés.

Le Premier ministre Wen Jiabao se contente de répondre par des banalités : « Il faut plus de justice sociale, que les paysans dont on a réquisitionné les terres soient correctement indemnisés, que l'information circule sans entrave sur les épidémies. »

L'homme se place dans la peau du juste dont l'intégrité morale serait perturbée par quelques potentats locaux qu'il faut remettre au pas. Il veut jouer la transparence et nous livre même le nombre exact de poulets abattus pour lutter contre l'épidémie de grippe aviaire. Une journaliste de Hong Kong saisit la balle au bond en posant la question clé : « Vous nous donnez avec précision le nombre de volailles exterminées pour lutter contre la grippe du poulet, mais nous ignorons toujours le chiffre exact des exécutions capitales en Chine. »

Le chef du gouvernement va déclarer forfait sur cette question, qui vaudra à notre consœur un rappel à l'ordre du ministère des Affaires étrangères. Mais, aujourd'hui, il est finalement devenu possible d'interpeller un Premier ministre sur le problème de la peine de mort, au Palais du peuple, sur la place Tiananmen.

8

LES SOLDATS ROUGES DE L'INFORMATION
(ou comment les Chinois sont informés)

Aucun journaliste chinois ne pouvait prétendre à la survie politique ou même physique durant les dix années qu'a duré la révolution culturelle, de 1966 à 1976. Chaque journée était une épreuve. Même ceux qui suivaient les mots d'ordre à la lettre pouvaient se retrouver, du jour au lendemain, exhibés sur une place publique, un écriteau pendu au cou et qualifiés de traîtres, de réactionnaires et d'ennemis du peuple.

Peu nombreux étaient les photographes comme Li Zhensheng, du grand quotidien de Harbin (province du Heilongjiang), qui osaient cacher sous leur plancher des négatifs compromettants sur les exactions des gardes rouges. Un geste pareil pouvait les conduire au poteau d'exécution. Les directives changeaient en permanence, les règlements aussi, et les journalistes aux ordres d'un pouvoir aux abois étaient désorientés. Malgré cela, leur profession était jugée estimable. On les avait même surnommés « les soldats rouges de l'information ».

L'approche a bien sûr changé, aujourd'hui, mais l'information, écrite ou télévisée, reste toujours considérée comme un élément au service du pouvoir communiste qu'il faut donc contrôler.

L'improvisation n'existe pas dans la presse chinoise ou à la télévision. Tout doit être construit, préparé,

93

organisé. L'ennemi, c'est l'imprévu, l'élément surprise qui va tout faire s'effondrer et briser l'effet de propagande recherché. La télévision ne pratique jamais le vrai direct. Il y a toujours une vingtaine de secondes de décalage entre la scène qui apparaît à l'écran et la réalité de la vie. Même pour les sports. La peur des dirigeants, c'est la banderole déployée par une poignée de militants de la secte Falun gong qui serait vue par des centaines de millions de téléspectateurs. Ces vingt secondes sont suffisantes à ceux qui contrôlent l'image pour suspendre le cours de l'histoire. Mieux vaut pour eux un tunnel noir sur l'écran qu'une vérité dérangeante.

De même, une chaîne de télévision en Chine n'a pas le droit de diffuser des images d'agences de presse étrangères sans qu'elles aient au préalable été filtrées par la télévision centrale. L'objectif n'a pas changé : « assurer un sain développement des informations internationales et maintenir une direction correcte de la propagande », comme dit le ministère du même nom.

La censure existe aussi dans l'autre sens. Les images des chaînes étrangères arrivant sur la Chine ne peuvent être reçues que dans les résidences pour expatriés ou dans les hôtels internationaux, qui accueillent plus de 80 % de clientèle étrangère. Malgré ces restrictions, le pouvoir chinois filtre quand même la distribution des grandes chaînes comme CNN ou BBC sur son territoire. Il peut ainsi bloquer la diffusion des sujets sensibles, comme les activités du dalaï-lama, et fermer le robinet aux images dès qu'il fait son apparition sur une chaîne de télévision. J'ai même vu l'écran noir s'imposer sur un reportage de la BBC qui traitait précisément de la censure sur Internet en Chine.

Un milliard de téléspectateurs

Deux mille chaînes, toutes publiques, quadrillent le territoire chinois. Elles vivent essentiellement de la publicité. Les deux tiers de la population sont informés uniquement par la télévision. Toute famille chinoise possède un poste à domicile et passe autant de temps qu'une famille européenne devant le petit écran : trois à quatre heures par jour, mais pour une information soigneusement filtrée et orientée.

Les paraboles qui peuvent capter directement les chaînes étrangères par satellite, sans que les programmes et les reportages puissent être contrôlés, sont officiellement interdites. Seule chaîne indépendante autorisée à diffuser sur la Chine : Phoenix TV, basée à Hong Kong et non pas sur le continent. À ce titre, elle peut se permettre d'aborder les sujets sensibles sans trop subir la pression du pouvoir de Pékin. C'est la seule exception.

Le plus gros succès d'audience de la télévision chinoise reste le programme spécial du 50e anniversaire de la naissance de la République populaire, le 1er octobre 1999, qui a rassemblé plus de 42 % de la population devant le petit écran, autrement dit plus de cinq cents millions de téléspectateurs. Vient ensuite le « show » du nouvel an chinois, la danse, les paillettes et les jeux qui recueillent presque autant de succès.

En matière d'information, le journal télévisé de 19 heures est regardé par deux cents millions de téléspectateurs. Il est diffusé dans toute la Chine au même moment, sans tenir compte du décalage horaire entre l'est et l'ouest du pays. Car toute la Chine vit à la même heure, celle de Pékin, alors que dans la réalité, il faudrait compter trois fuseaux horaires entre la capitale et la ville de Kachgar, au Xinjiang, à l'extrême ouest du pays. Mais la volonté du pouvoir est d'aligner tout le monde sur le rythme de la capitale : plus pratique, plus efficace.

Cette grand-messe communiste est particulièrement ennuyeuse. L'ouverture du journal est toujours la même : les activités du président et secrétaire général du Parti, puis celles du Premier ministre avec, souvent, des citations écrites sur l'écran. Tout dérapage peut coûter sa place au journaliste, qui reste très surveillé dans son travail.

À son arrivée dans la rédaction, il ne prend pas connaissance des sujets qu'il doit réaliser, mais de ceux qu'il ne doit surtout pas traiter. La liste est même affichée dans les couloirs : un fait de corruption qui touche une autorité locale, la progression d'une épidémie dans la région, une catastrophe naturelle ou industrielle mal contrôlée, une révolte de migrants, etc. Le journaliste chinois devra accepter de garder le silence ou alors se démettre.

L'Office du contrôle des informations est un département du Parti, baptisé carrément : « ministère de la Propagande ». Mais le mot n'a pas le sens péjoratif qu'il a dans nos démocraties. La propagande, ici, c'est le contrôle de l'information pour le bien du peuple. Elle transmet un message de vérité ; elle est aussi résolument optimiste. Même une catastrophe doit montrer le visage constructif de l'action du Parti : les secours qui arrivent en force, le médecin qui rassure le blessé, l'armée qui vient déblayer le terrain et renforcer les digues lors des inondations, ou le secrétaire du Parti qui console les personnes déplacées.

La télévision chinoise ne montre jamais un homme seul dans sa détresse. Il y a toujours à côté de lui une autorité qui s'inquiète de son sort. Les Chinois présentent rarement le malheur à la télévision sans lui donner une vision constructive, à travers le rôle d'un responsable qui va venir renverser la situation en faveur du

Parti et de l'intérêt du peuple. Le résultat est étonnant. Le petit écran chinois donne souvent l'impression d'une télévision joyeuse où le malheur n'existe qu'en dehors des frontières de la Chine, renforçant ainsi le bonheur d'être un citoyen de la République populaire.

L'information en Chine est donc faite pour dire du bien. Si c'était pour dire du mal, elle n'aurait aucune raison d'être. D'où le slogan bien connu de la période Mao : « Les médias sont la gorge et la langue du Parti. » Tous les directeurs de journaux ou les rédacteurs en chef des chaînes de télévision sont nommés par le Parti. Quand l'information en Chine se met à révéler un problème, un scandale, c'est qu'elle a en réserve une solution à y apporter ou que le Parti a un compte à régler.

Où l'oiseau est toujours en cage

La presse chinoise vit à présent surtout de la publicité. Il faut donc aussi plaire au lecteur. L'économie de marché a quelque peu bousculé la censure, et le pouvoir a dû lâcher du lest. Bien sûr, le traditionnel *Quotidien du peuple* continue à produire chaque jour ses vérités officielles, mais il a dû ouvrir un peu plus les yeux de ses lecteurs sur la Chine et sur le monde, en proposant plus de variétés de reportages. Les ventes n'ont pourtant guère progressé. Le journal reste surtout distribué dans les unités de travail et aux abonnés obligatoires des administrations. Il se vante quand même de tirer à trois cents millions d'exemplaires...

Les autres journaux peuvent prendre aujourd'hui un peu plus de libertés et se lancent dans des enquêtes dénonçant la corruption, après s'être assurés que le pouvoir n'y est pas mêlé, car la répression peut être terrible. La corruption règne aussi chez les trois cent mille journalistes chinois recensés dans le pays. Ils ne voient pas d'inconvénients à recevoir une « enveloppe rouge » à l'occasion d'un reportage dans une entreprise. Ils appellent cela les « frais de taxi », mais la somme reçue est souvent dix fois plus élevée que le coût du déplacement. Les firmes françaises sont obligées de jouer le jeu et payent aussi les billets d'avion, l'hôtel et les repas des chroniqueurs à qui elles présentent leur dernière production. Les journalistes chinois trouvent cela normal et ne remercient guère.

Jusque-là, les catastrophes faisaient partie des secrets d'État. Pour filmer des inondations, il fallait soit confier une petite caméra à un amateur chinois motivé qui n'avait pas peur de se faire arrêter, soit attendre patiemment une autorisation incertaine. On vous conduisait alors sur un lieu où le peuple et l'armée avaient réussi à maîtriser les flots en colère.

Mais aujourd'hui, il est devenu difficile de passer sous silence les catastrophes, naturelles ou non. Dans un pays où un habitant sur quatre possède un téléphone portable, l'information circule en dehors de la presse. Mieux vaut donc, pour le pouvoir, montrer qu'il est informé. « La cage est plus grande, mais l'oiseau est toujours en cage », me disait un reporter de la télévision chinoise…

À présent donc, on peut enfin voir quelques images des accidents de mines qui font chaque année des milliers de morts. L'information se veut constructive, téléguidée, orientée, au service du Parti et du pouvoir, qui se présentent ainsi comme des justiciers, mais de tels événements ne sont plus passés sous silence. En revanche, la colère des familles de mineurs exploités n'apparaît jamais sur le petit écran.

Les autorités font également barrage aux journalistes venus d'ailleurs qui veulent rencontrer l'entourage des victimes. Un étranger avec une caméra dans une région sinistrée est tout de suite repéré ; la police locale a des ordres, le Parti aussi. Parfois même, les mouchards cherchent à canaliser la fureur de la population en l'orientant vers les journalistes qui se risquent sur place et en disant que la presse étrangère se sert de ces accidents pour critiquer la Chine. Toute famille témoignant de l'incurie du pouvoir sait aussi qu'elle s'expose à des représailles lancées par des truands employés par les entreprises mises en cause, et les mécontents préfèrent souvent garder le silence.

Le cas de cet habitant de la province du Hubei, Fu Xian Cai, expulsé à cause de la construction du barrage des Trois-Gorges et de son immense lac de retenue, est révélateur. L'homme s'est plaint devant la caméra de la première chaîne de télévision allemande (ARD) qu'il n'avait reçu aucune indemnité.

Il a osé raconter ses démarches pour obtenir réparation : quinze voyages à Pékin pour se plaindre au gouvernement et une cinquantaine de visites dans les administrations locales pour réclamer justice. Quelques heures après l'interview, il était passé à tabac par des hommes de main lors d'une opération punitive.

Les journalistes étrangers présents en Chine subissent une bonne partie des restrictions imposées par le pouvoir à la presse chinoise. Tout correspondant est ainsi accrédité au service de presse du ministère des Affaires étrangères, reçoit une carte et s'engage à respecter un règlement qui lui interdit, notamment, de posséder des appareils de communication par satellite.

Tout reportage partant vers le ciel doit transiter par la télévision chinoise, qui contrôle obligatoirement les images. Il faut donc annoncer la couleur du sujet. Mais les yeux et les oreilles des autorités sont devenus nettement plus tolérants. Elles ont bloqué seulement deux de mes reportages en six ans. Le premier sur l'affaire des frégates françaises vendues à Taïwan : le surveillant de service, voyant partir vers les satellites des images de navires de guerre en mer de Chine, a pris peur et coupé le faisceau. Il faut dire que j'avais déclaré envoyer seulement un reportage économique.

Une autre fois, je diffusais vers la France un sujet que nous avions tourné au Japon sur les *hikikomoris*, ces jeunes qui s'enferment dans leur chambre et ne veulent même plus voir leurs parents. La censure chinoise pensait que je faisais passer à l'étranger des images sur les activités de la secte maudite des Falun Gong. Là aussi, la liaison satellite a été bloquée, mais rétablie dix minutes plus tard, après que j'eus fourni des explications. Heureusement, le développement d'Internet permet aujourd'hui d'envoyer des reportages filmés par fichiers, difficilement contrôlables par la censure.

Sous l'œil des vigiles de l'information

La Chine est quadrillée par des fonctionnaires des Affaires extérieures dont la mission est de surveiller les déplacements et les agissements des étrangers. Les journalistes sont en première ligne, surtout quand ils voyagent avec une caméra professionnelle de dix kilos passant difficilement inaperçue. Un tournage en province doit normalement être soumis à ces sombres fonctionnaires, fidèles à la ligne du Parti. Souvent, même, les chefs d'entreprise ou les capitaines d'industrie chinois demandent l'accord de ces personnages d'un autre temps avant de nous autoriser à filmer, afin de se couvrir en cas de dérapage.

Ces vigiles de l'information sont, en général, vêtus de noir et portent sous l'aisselle une sacoche de même couleur en similicuir où ils gardent précieusement les papiers aux multiples tampons qui nous ouvriront les portes. Avec les années, ils sont devenus moins pesants, moins présents, plus tolérants, mais ils peuvent toujours resserrer la vis si le Parti en donne l'ordre. Ils sont aussi très dépendants du pouvoir local et résistent aux pressions de Pékin si les autorités des ministères de la capitale veulent appuyer notre demande.

Exercer son métier de journaliste en Chine, c'est engager une partie de bras de fer avec ces hommes. Ils vont chercher à vous orienter sur les aspects positifs du sujet à traiter. Ils ont sélectionné et briefé les intervenants, préparé le terrain avant votre arrivée, organisé le programme. Ils commencent rarement avant 8 heures le matin et terminent toujours à 6 heures du soir... À l'issue du tournage, ils vous convient parfois à dîner, mais la plupart du temps à vos frais. Ils demandent à être payés à la journée, environ 20 euros pour chaque membre de l'équipe, ce qui représente leur supplément de salaire. Un reportage sans leur feu vert n'est pas forcément gagné.

Le plus difficile est souvent de semer ces accompagnateurs et autres représentants des autorités locales, qui se croient indispensables. À l'occasion d'un reportage sur les centenaires de la région du haut Yangtsé, j'ai compté pas moins de vingt-trois personnes pour nous accompagner : mon record en six années de Chine. Il y avait là le représentant des Affaires étrangères, deux membres du Parti envoyés par le secrétaire local, deux policiers, deux équipes de télévision, deux journalistes du quotidien régional, etc.

Il s'agissait moins de nous surveiller que de découvrir notre travail et de satisfaire une curiosité. Les policiers prenaient des photos-souvenirs, la télévision locale filmait pour pouvoir dire dans son journal d'information du soir : « Des journalistes français viennent jusqu'ici filmer nos centenaires, c'est dire l'importance qu'a notre région, vue de l'étranger. » Quant aux vieillards, leur comportement avait perdu toute spontanéité. Je revois Xiuhe, paysan de cent sept ans bien sonnés, entouré par cette foule de curieux. Il avait le plus grand mal pour aller du lit au fauteuil et nous étions là, à suivre ses pas hésitants avec vingt paires d'yeux pour surveiller la scène.

Mais, devant cette génération de jeunes cadres chinois qui n'ont pas connu les privations, Xiuhe va imposer le respect en racontant son combat pour survivre dans les campagnes : « Ma vie a été très dure, nous dit-il, surtout quand j'avais entre vingt et trente ans. J'allais même mendier dans les rues. Souvent je n'avais à manger que l'herbe des champs et l'écorce des arbres. »

La télévision chinoise, aux informations régionales du soir, retiendra surtout la visite des étrangers que nous sommes et non pas le témoignage poignant de cet homme, nous confirmant si besoin était que la télévision en Chine reste avant tout au service du Parti et du pouvoir.

9

ENTRE DIEU ET LE PARTI,
LE RENOUVEAU DE LA FOI

C'est une vaste plaine frappée par la sécheresse. Personne n'aurait l'idée de construire ici la plus haute cathédrale de Chine. Aux fins fonds de la province du Hebei, dans un village où sont regroupées quelque trois mille familles de paysans, Xiaohan, se bâtit pourtant la plus grande église de Chine, de style gothique et romain, avec un clocher qui dominera, de ses soixante-seize mètres, les terres arides et poussiéreuses de la Chine du Nord.

« La nef est immense, car il faut montrer que l'homme est petit face à Dieu. Le sol sera très sombre et, en haut, ce sera très clair. Cela veut dire que l'être humain doit savoir dépasser la souffrance pour aller au paradis, nous explique le père Zhang Jimao, dont la vocation a toujours été claire, même aux heures les plus sombres de la révolution culturelle. Quand j'étais petit, je lisais la Bible et j'ai toujours espéré devenir prêtre. Je ne voulais pas aller à l'université. J'étais guidé par cette croyance, mais aussi par le curé de mon village. »

Toute cette région du Hebei voit renaître la foi catholique. Je suis stupéfait de découvrir tous ces clochers qui émergent des paysages de campagne. Le père Jimao l'explique aisément : « Xiaohan était la porte d'entrée du catholicisme. Ce village a une histoire de trois cents ans.

Les missionnaires étrangers ont propagé leur foi à partir de ce lieu. Si nous faisons construire cette cathédrale, c'est aussi pour que l'enseignement des anciens missionnaires continue. » Les travaux sont financés grâce aux dons des croyants de toute la région. Deux millions d'euros ont pu être récoltés, une somme fabuleuse pour ces villages de Chine. En attendant, le père Jimao dit la messe dehors, dans le froid, avec deux cents personnes profondément recueillies, mais les chants qui s'élèvent vers la cathédrale en construction réchauffent les cœurs.

Église du silence et Église patriotique

À Xiaohan et dans la province, des milliers de paysans se sont convertis, tant le besoin de croyance est devenu fort dans une Chine qui ne sait offrir à son peuple que des biens matériels. Le pouvoir ne met plus guère d'obstacles au développement de la religion ; chacun peut adhérer à une foi, dès l'instant où l'ordre social n'est pas perturbé.

Alors, dans les villages, on rencontre ces chrétiens qui n'hésitent plus à se confier, comme cette femme de quarante ans qui vient d'embrasser le catholicisme. Elle en parle avec émotion, comme si elle venait de découvrir un trésor caché.

« Ne pas avoir de croyance, c'est comme avoir un corps sans âme. Aujourd'hui, je peux reposer mon âme sur la foi. Même si tu as une vie heureuse avec beaucoup d'argent, ton corps est vide si tu n'as pas de croyance… Quand on croit, on a l'âme paisible et sereine ; on peut espérer. Depuis l'an passé, je suis baptisée et j'ai complètement changé. Avant, je n'étais pas de bonne humeur et je battais mon enfant. Depuis que je vais à l'église, je me sens bien. Pour nous, Dieu est un trésor et nous espérons partager ce trésor avec les autres. Je me sens même plus proche de Dieu que de mes enfants et du reste de la famille. » Tous ces fidèles suivent l'enseignement de l'Église patriotique, c'est-à-dire l'Église officielle, qui n'entretient plus de relations avec le Saint-Siège. Mais la foi y est aussi forte et sincère que dans cette Église du silence qui suit l'enseignement du Vatican et se tourne vers Rome. La frontière n'est d'ailleurs pas aussi nette entre les deux Églises, et tout curé ou tout évêque de l'Église patriotique est aussi à l'écoute de Rome, sans trop l'avouer.

Même l'évêque de Pékin, Mgr Fu Tieshan (aujourd'hui décédé), qui nous reçoit dans un fauteuil immense décoré de dentelles, au siège de l'épiscopat de Pékin, reconnaît cet échange :

« Nous avons des contacts avec l'Église du silence ; pas moi personnellement, mais ceux qui travaillent dans ce milieu. Nous avons bien sûr des divergences sur certains points de vue, mais la croyance est la même. En Chine, à présent, nous avons la liberté de croire, il est donc inutile de mener des activités clandestines. Autrefois à Tianjin il y avait un évêque clandestin ; nous l'avons rencontré, nous nous sommes compris et l'ensemble des évêques l'a nommé évêque de la ville. Au Henan, qui est pauvre, il y a aussi des prêtres de l'Église du silence. Quand ils tombent malades, ils viennent à Pékin consulter un médecin et, comme ils n'ont pas assez d'argent, ils passent aussi nous voir et nous les aidons. »

Dans certains villages où les missionnaires italiens et français ont prêché la bonne parole à la fin du XIXe siècle, les gens m'affirment qu'ils n'ont pas cessé de croire depuis leur enfance et qu'ils n'ont jamais été impressionnés par les menaces des gardes rouges pendant la révolution culturelle. C'est le cas des pêcheurs de Wuqiao, un îlot de paix au milieu des canaux de la région de Wuxi, défigurée par des chantiers immenses, à deux heures de route de Shanghai. « Nous avons toujours cru en Dieu, me dit ce pêcheur, car nous avons toujours pensé que seul Dieu pouvait nous sauver de la misère. »

Voilà des mois que je voulais réaliser un reportage chez ces chrétiens de Chine, mais les permissions ne venaient jamais. Les autorités redoutaient que j'aie un contact avec l'Église du silence, traquée et pourchassée. Ils ne voulaient pas non plus que nous puissions filmer des églises détruites, comme dans la province du Fujian.

Finalement, avec les fêtes de Pâques de l'année 2002, nous sommes autorisés à rencontrer ces croyants de la région de Wuxi. Ils viennent à la messe en bateau. C'est une population plutôt âgée : plus de cinquante ans. L'église, bâtie par les missionnaires au xixe siècle et qui domine le canal, est devenue grise à cause de la fumée des centaines de péniches qui passent à côté chaque jour. Elle n'a jamais été ravalée : qui pourrait payer pour cela ? À l'intérieur, des crachoirs sont disposés au pied des quatre piliers, à ne pas confondre avec les bénitiers...

Tout le monde va communier pour cette messe de Pâques. Les gens semblent me dire : « Vous voyez, nous, nous osons le faire », mais le Parti communiste semble indifférent face à cette ferveur qui se développe dans le pays. L'évêque de Nankin, Mgr Liu Yuan Ren, à la tête du diocèse, a d'ailleurs de très bonnes relations avec le Parti... Quand il nous reçoit, il est entouré par le représentant local du ministère des Affaires étrangères, un délégué de l'Église patriotique avec, en plus, un scribe qui, pendant plus d'une heure, retranscrira tous les propos de l'ecclésiastique, ainsi que les nôtres d'ailleurs.

L'homme ne devrait pas être inquiété puisqu'il affirme carrément : « Le Parti communiste est un don de Dieu : c'est Dieu qui a choisi le Parti pour le guider. Le Parti, tout comme le Christ, est né dans une famille pauvre. Le Parti est bien sûr athée, mais ses dirigeants m'ont laissé la liberté de croire... » Après la révolution culturelle, il ne restait plus de prêtres dans son diocèse. On comprend donc que l'évêque de Nankin puisse avoir une dette envers le Parti. En revanche, il néglige l'importance et le rôle de l'Église du silence : « Nous croyons au même Dieu. Ils disent qu'il y a une différence entre l'Église souterraine et l'Église officielle parce que nous pratiquons notre croyance sous la direction du Parti communiste, alors qu'eux, ils sont contre le Parti ; c'est pour ça qu'ils ne veulent pas se montrer. »

Plus tard, à l'occasion des funérailles de Jean-Paul II, j'ai pu de nouveau constater que la frontière entre les deux Églises était, en réalité, très floue et très mince. J'apprends par hasard qu'une messe est dite à la cathédrale de Tianjin, à cent kilomètres de Pékin. Les gens ont même surnommé l'édifice la « cathédrale des Français », car elle a été bâtie à l'époque des concessions. La cérémonie est déjà commencée quand nous poussons la grande porte de bois cloutée. Les chants et les prières sont saisissants, l'orgue paraît déchaîné. La cathédrale donne toute sa lumière. Il doit y avoir ici un millier de personnes recueillies pour rendre hommage au pape défunt, mais personne ne fait attention à nous, ni même à la caméra. La ferveur est impressionnante, aussi forte que pour une messe de Noël.

Un portrait de Jean-Paul II d'un mètre de haut est posé sur l'autel, alors que les responsables de l'Église patriotique, censés gérer les activités de la religion chrétienne, ont demandé au clergé de ne pas exposer la photo du pape puisque la Chine ne reconnaît pas le Vatican. Mais quiconque aurait osé retirer ce portrait en plein recueillement aurait été lynché dans la minute. La messe se déroulera sans incidents.

« Donnez cet enfant à Dieu ! »

Dans les villes aussi, les conversions à la religion catholique se multiplient. L'église du Sud à Pékin, avec sa sainte Vierge posée sur les rochers à l'entrée de la cour qui nous fait penser à la grotte de Lourdes, donne un peu le pouls de la religion. De nouveaux croyants viennent chaque semaine y répéter les gestes du baptême, comme cette jeune femme : « Croire à cette religion, cela peut apporter beaucoup à mon âme, rendre ma vie meilleure. Grâce à elle, je peux aussi protéger et bénir tous les croyants, pour qu'ils soient en bonne santé. » Un jeune couple raconte avec passion pourquoi il a voulu se convertir. La femme, âgée d'une trentaine d'années, semble particulièrement motivée :

« On peut sauver son âme et se faire pardonner les péchés des êtres humains. Avoir une croyance est nécessaire pour tous parce que, dans la vie, il y a bien sûr des soucis, des difficultés et il faut trouver quelque chose pour s'exprimer. Dieu est à mon avis le meilleur moyen. La religion est aussi une discipline de vie qui remplit le vide spirituel. »

Le père Yan Yijié, curé de l'église du Sud, fait répéter chaque semaine à ses futures brebis les gestes du baptême. Il voit clairement dans ces conversions un phénomène de société : « Chaque année, on peut compter, à Pékin, mille à mille cinq cents nouveaux convertis et, pour le pays entier, soixante-dix mille à quatre-vingt mille. Pas mal de jeunes recherchent la croyance. Le 24 décembre, pour la messe de minuit, plus de quatre-vingt mille personnes vont à l'église et doivent rester dehors car il n'y a pas de place. Elles viennent surtout voir comment les chrétiens passent Noël, quel est le sens et la valeur de cette fête. Noël est devenu une mode : tous les gens achètent des cadeaux à cette occasion. »

Mais pour que vive l'Église de Chine, il faut aussi des prêtres. Je les ai rencontrés dans un séminaire tout neuf, construit sur un terrain vague au milieu de nulle part dans la banlieue de Pékin. Ces jeunes ecclésiastiques doivent emprunter un parcours sinueux pour éviter la boue du chantier. Une centaine d'entre eux vivent ici, comme Li Peihang, venu de la province lointaine du Guizhou, à deux mille kilomètres de là. Il m'explique sa foi sans crainte apparente :

« J'appartiens à une famille de pratiquants. Depuis mon enfance, j'ai été influencé par le catholicisme et par l'amour de la religion. Après le lycée, j'ai eu des contacts avec des prêtres et je me suis rendu compte de la valeur que cela représentait. Du fond du cœur, je sens la force et l'énergie nécessaires pour choisir cette voie. Dans ma province natale, il y a très peu de prêtres et ils sont vieux. Celui de mon village était un ami de mes parents. Il leur a dit un jour : «L'Église catholique de Chine a besoin de prêtres d'urgence. Offrez cet enfant à Dieu !» Mes parents m'ont donc éduqué et donné les connaissances nécessaires pour que je puisse rendre service à l'Église et à toute l'humanité.

« Le gouvernement est athée ; quand on parle de notre croyance aux autorités, elles trouvent cela bizarre car pour ceux qui nous dirigent, l'important, c'est le pouvoir et l'argent. Heureusement, nous avons plus de libertés qu'avant. Nous pouvons dire aujourd'hui que notre religion n'est pas une forme de superstition... Dans ma province natale du Guizhou, il y a deux sortes de gens qui pratiquent : les intellectuels de haut niveau et les illettrés. Ceux qui sont entre les deux, les élèves qui ont leur bac, ou d'autres qui ont ce niveau-là, ne voient aucun intérêt dans cette croyance, et il est très rare qu'ils pénètrent dans une église. »

Oublié donc le slogan maoïste accusant les religions d'être « l'opium du peuple. » Aujourd'hui, les chrétiens sont plus de cinquante millions. Pour le reste, trois cents millions de Chinois reconnaissent avoir une croyance, bouddhiste ou taoïste pour l'essentiel. Dans les jours qui suivent le nouvel an chinois, ils sont ainsi des dizaines de milliers à défiler au temple taoïste du « Nuage blanc » à Pékin, pour y prier, faire brûler l'encens, formuler leurs vœux ou toucher de la main la sculpture de pierre marquant le signe de l'année nouvelle – cheval, lapin, rat, coq ou cochon –, censé apporter bonheur et fortune à la famille. Mais nous sommes plus proches de la superstition que de la véritable croyance.

Le gouvernement ne cherche plus à freiner les pèlerinages vers les lieux historiques du bouddhisme, et notamment sur les quatre montagnes sacrées, comme la montagne de Putuo, située sur une île de la mer de Chine, au large de Shanghai.

Les fidèles font généralement le voyage de nuit en bateau depuis la capitale économique de la Chine : douze heures de navigation dans de petites cabines où s'entassent huit personnes, pour arriver à l'aube et voir le jour se lever sur la statue de Guanyin, sortie de sa fleur de lotus.

Elle domine la plage du haut de ses trente-trois mètres. Bâtons d'encens en main, les Chinois se prosternent et prononcent leurs vœux traditionnels de bonheur. Ils hésitent parfois à accomplir ces gestes de recueillement autrefois tabous et sont maladroits. Dans les temples rénovés de Fayu ou de Puji, on rencontre des groupes de retraités pour qui le voyage à Putuo est souvent le seul qu'ils effectueront dans leur vie. Certains font même à genoux l'ascension des mille marches qui mènent au mont Foding.

Mais les sommets restent la chasse gardée de l'Armée populaire, en position sur l'île. À Putuo, les soldats sont plus nombreux que les habitants et trois navires de guerre mouillent dans le petit port. L'île « rebelle » de Taïwan n'est qu'à quelques heures de navigation. Pour le pouvoir communiste, l'enjeu de Putuo n'est pas spirituel, il est avant tout stratégique...

Le régime chinois a donc choisi de laisser les religions traditionnelles se développer. Au 17ᵉ congrès du Parti, Hu Jintao a même déclaré : « Nous devons respecter le point de vue marxiste tout en prenant conscience que les religions vont exister longtemps dans une société socialiste. » Le pouvoir n'en redoute pas moins l'éclosion de nouvelles croyances qu'il ne parvient pas à contrôler ; nous l'avons vu avec la secte rebelle des Falun Gong, qui a osé défier la dynastie rouge et qui est parvenue à gangrener l'État. Mais le Parti ne baissera pas sa garde, et ces croyances ne devront plus troubler l'ordre social.

La hantise des sectes reste donc bien réelle. L'article 99 du code pénal, qui punit de la peine de mort « les membres des sectes superstitieuses ou des sociétés secrètes se livrant à des activités contre-révolutionnaires », est plus que jamais d'actualité.

Musulmans, mais Chinois

Quelque part aussi, le pouvoir chinois a peur de l'islam, bien que cette religion soit gérée, contrôlée, administrée depuis 1953, par l'Association islamique de Chine. Car l'islam représente d'abord l'identité des quelque dix millions de Ouighours qui peuplent l'ouest de la Chine, aux frontières du Pakistan et de l'Afghanistan.

Deux mois après les attentats du 11 septembre 2001, j'ai voulu mesurer l'impact qu'ont pu avoir ces événements dans la cité la plus célèbre de la route de la soie, Kachgar. À la mosquée Id Kah, la prière est interdite aux moins de dix-huit ans ; un panneau bien visible le rappelle à l'entrée. Mais les fidèles, même âgés, sont très sensibles aux événements qui se déroulent de l'autre côté de la frontière, en Afghanistan. La lutte des talibans contre l'intervention américaine, la solidarité avec Oussama Ben Laden, sont dans toutes les conversations.

L'imam, avec sa grande barbe grise et son turban noir, dont le pouvoir communiste contrôle visiblement les déclarations, nous affirme qu'il n'y a plus de problèmes depuis la tentative d'assassinat de son prédécesseur. Mais il est facile de voir que l'intégrisme gagne du terrain. Les jeunes Ouighours, qui aimaient boire de l'alcool et danser sur la grande place, se réfugient à présent dans la prière. Ils se servent de l'islam pour affirmer leur identité face aux Han, qui sont devenus majoritaires dans la ville de Kachgar.

Au Xinjiang, les femmes portent plus fréquemment le voile, afin de se démarquer des Chinoises. J'aime photographier ces musulmanes voilées, car c'est un aspect frappant dans la Chine communiste, mais je ne veux pas généraliser : il y a, au Xinjiang, plus de femmes musulmanes qui circulent à visage découvert que de femmes qui se cachent.

Pour freiner l'islamisation, le pouvoir communiste renforce aujourd'hui le contrôle sur l'éducation des imams qui iront répandre la bonne parole. À Urumqi, la capitale du Xinjiang, un institut forme ceux qui dirigeront les prêches dans les mosquées. Nous sommes accueillis par le directeur, coiffé du calot ouïghour si finement brodé. Les futurs imams sont plutôt joyeux, contents de nous voir et guère hostiles envers l'étranger de passage. Ils apprennent l'arabe, car les musulmans de Chine font un complexe de ne pas parler la langue du Prophète. Ceux-là seront capables d'aligner quelques phrases au bout de deux ans. Au-dessus du tableau noir, trois emblèmes sont accrochés : le drapeau rouge, l'écusson du Parti et le croissant de lune musulman, tous les symboles avec lesquels ces étudiants devront composer pour enseigner plus tard le Coran sans nuire à la politique du Parti communiste.

Ce jour-là, la cité de la route de la soie s'éveille au son des haut-parleurs. Je me trouve en reportage à Kachgar et j'apprends que va se dérouler une cérémonie saluant ce que les Chinois appellent « la libération de Kashgar ». Le Parti communiste y fête le 50ᵉ anniversaire de l'entrée de l'Armée populaire dans cette ville du Xinjiang. À cette époque, en 1952, les Han ne représentaient que 10 % des habitants de la ville. Au pied de la statue de Mao, qui montre de son bras la direction à suivre, des centaines d'enfants font des exercices et des figures avec des ballons, des rubans, des cerceaux. Ils portent tous un foulard rouge. Le spectacle est parfaitement réglé. Mais pas un seul spectateur ouïghour. Les musulmans se sont arrangés pour bouder cette cérémonie humiliante pour leur culture. Un professeur chinois, qui surveille l'évolution des élèves, veut remettre les pendules à l'heure en se justifiant : « La plupart des Han qui travaillent ici, me dit-il, sont nés à Kachgar, ou sont arrivés quand ils étaient petits. Ils connaissent très bien les us et coutumes des Ouïgours et ils sont capables de les respecter ; nous n'avons pas de problèmes de cohabitation. »

Je voulais également vivre avec cette communauté musulmane du centre de la Chine : les Hui, ceux-là mêmes que j'avais rencontrés sur les chemins de La Mecque dans les années 1970. À l'automne 2006, j'ai pu traverser seul, avec les cars de paysans, ces provinces musulmanes du Ningxia et du Gansu. Contrairement aux Ouïgours, les Hui sont des Chinois, islamisés

113

à l'époque de la route de la soie, dès le VIe siècle. Ils sont moins turbulents mais tiennent beaucoup à leur religion qui représente le ciment de cette minorité nationale.

La région où ils vivent, pour la plupart, porte même leur nom : « Province autonome des Hui du Ningxia ». J'aime cette terre désolée, car le premier combat de l'homme est d'abord celui de l'eau. Le Coran autorise le croyant à faire ses ablutions avec du sable avant la prière, si l'eau vient à lui manquer et les fidèles ne s'en privent pas.

Pendant mes six années de Chine, j'ai souvent croisé le chemin de ces Hui musulmans, revenant de La Mecque avec l'eau sacrée du puits Zemzem. Je les ai vus aussi au Tibet, où ils représentent une partie non négligeable de ces colons qui viennent travailler au « pays des neiges » et imposent la construction de nouvelles mosquées, au grand désespoir de la population bouddhiste.

J'ai toujours trouvé que l'islam donnait aux Hui une certaine dignité par rapport aux Han, qu'ils étaient aussi plus propres et plus soigneux, plus polis, plus respectueux. L'attitude du musulman dans la société donne souplesse et grâce à ses gestes. Les musulmans chinois n'échappent pas à ce comportement.

La dynastie des Ming a laissé construire de nombreuses mosquées au XVIIe siècle. Les édifices, encore debout au début de l'instauration de la République populaire dans les années 1950, ont été saccagés pendant la révolution culturelle. Mais la nouvelle politique de Deng Xiaoping, définie par le 14e congrès du Parti, en 1992, a entraîné un renouveau de l'islam. Des chefs religieux ont pu devenir cadres du Parti, un compromis avec le ciel qui a permis à la religion musulmane de vivre dans une harmonie indispensable avec le communisme pour assurer la paix sociale.

Pour faire comme les Arabes...

Les Hui représentent aujourd'hui une communauté de près de dix millions d'habitants, mais ne sont guère présents à Yinchuan, capitale du Ningxia : pas plus de 15 %. Les Han dominent largement et, dans toute la province, ils sont deux fois plus nombreux que les musulmans. On ne compte guère à Yinchuan que cinq ou six mosquées. Dans les rues qui longent les édifices religieux, on abat les bœufs et les moutons. Les Han aiment souvent provoquer les Hui en vendant des porcs à côté de leurs boutiques, ce qui entraîne fréquemment des rixes violentes. En effet, si les Hui musulmans se laissent parfois aller à boire de l'alcool de riz ou un verre de bière, ils se montrent intransigeants à propos de porc, qui reste un animal impur.

Lors de la visite à la grande mosquée de Yinchuan, le gardien commence à me poser des questions sur ma présence dans la cour. À quelle « ethnie » est-ce que j'appartiens (autrement dit, à quelle religion) ? Y a-t-il au moins des Hui dans mon pays ? Il m'annonce que je ne peux pas entrer dans la salle de prière parce que je ne suis pas musulman. Avec son bonnet blanc et sa barbichette, il me fait signe de m'en aller. Heureusement, un petit groupe de touristes chinois sans-gêne, qui piétinent les chaussures des croyants déposées à l'entrée de la salle de prière, me sauve la mise. S'ils peuvent aussi grossièrement s'introduire dans la mosquée pour prendre des images, pourquoi n'aurais-je pas le droit de photographier ? Le gardien s'incline, finalement.

Je voulais voir aussi dans quel état se trouvait la grande mosquée de Tongxin, à deux cents kilomètres de là, dans une région où cette fois les musulmans sont majoritaires. L'édifice est franchement tourné vers le désert et les terres asséchées. Les anciens, en barbiche et calotte blanche, qui attendent l'heure de la prière, me racontent que le bois des piliers ou du toit a résisté à ses six cents années d'existence. Ils ne se souviennent pas de dégâts occasionnés par les gardes rouges pendant la révolution culturelle, mais se rappellent que l'Armée populaire a tenu là un conseil de guerre en 1936 et ils en sont fiers. Tous ces croyants qui comparent leur âge me semblent sortis d'une autre époque. Seuls deux jeunes imams *(ahungs)* ayant appris l'arabe classique redonnent un peu de vie à cette communauté musulmane. Ils ont un rôle social essentiel. À la naissance d'un enfant, ils donnent un prénom hui au nouveau-né. Les *ahungs,* guides spirituels, doivent être aussi les témoins des cérémonies de mariage et présider les enterrements, veiller à ce que le corps soit lavé et enveloppé dans un linceul blanc.

Les signes islamiques sont bien présents dans la vie quotidienne. Les femmes portent le bonnet blanc, qu'elles recouvrent souvent, par souci d'élégance, d'une voilette de dentelle noire ou verte, tandis que les hommes, jeunes ou vieux, sont tous coiffés de la calotte blanche. À ma question : « Finalement, pourquoi cette coiffe ? », un quinquagénaire me donne une réponse qui me satisfait : « C'est pour faire comme les Arabes ! »

Je découvre d'autres mosquées aux croissants d'or et coupoles vertes à l'architecture naïve et fine ainsi qu'une école coranique fréquentée par plus de deux cents femmes qui viennent apprendre l'anglais, l'arabe, l'histoire et, bien sûr... le Coran. Je les surnomme « le détachement féminin vert », l'avant-garde du renouveau islamique chinois... Elles portent de longues robes noires et des fichus blancs ; on se croirait plutôt en Indonésie ou en Malaisie. Leur professeur d'arabe m'affirme que cette tenue devient la tendance actuelle chez les femmes musulmanes de Chine. Faut-il s'en inquiéter ? L'homme affirme que non mais, malgré la censure qui sévit en Chine sur l'information, une solidarité naturelle se crée avec les musulmans des autres pays, et la minorité hui suit avec passion les combats du monde islamique. Elle devient, par exemple, de plus en plus sensible au problème de Jérusalem et des lieux saints de l'islam.

Le soir, commence la fête de l'Armée rouge, célébrée dans toute la Chine et donc à Tongxin. L'événement est difficile à manquer car, depuis plusieurs jours, la télévision passe en boucle l'épopée de la Longue Marche. Pour l'occasion, les administrations se sont arrêtées, les commerçants ont fermé boutique et les rues sont barrées pour le défilé.

Les Hui se sont faits beaux pour la fête. Les femmes portent de fines voilettes noires, les hommes sont coiffés de bonnets de couleur avec des étoiles dorées qui scintillent au soleil couchant. Des militaires sont venus parader sur l'artère principale. Ils sont encore vêtus de l'uniforme d'été alors que le froid commence d'arriver au Ningxia. La foule paraît indifférente, mais tout le monde est là car il n'y a rien d'autre à faire. Sur la place principale se joue un ballet naïf qui me rappelle le filme *Le Détachement féminin rouge* (1960). On y voit des danseurs en chaussons à pointes et tenue militaire vaincre un ennemi invisible et hurler au final à la gloire de l'Armée rouge.

Mais le renouveau de l'islam de Chine est surtout frappant à Lingxia, dans la province centrale du Gansu, avec ses dizaines de mosquées. La ville, à elle seule, est classée « préfecture musulmane » et les Hui l'ont surnommée sans complexe « La Mecque de la Chine ». Une grande mosquée en carrelage blanc et vitres teintées surmontée de deux coupoles vertes vient juste d'être terminée. C'est un peu l'Institut musulman du coin. L'imam m'affirme que le bâtiment a été entièrement payé par l'Association islamique de Chine, le versant officiel de l'islam chinois. Mais de riches pays musulmans, comme l'Arabie saoudite, financent discrètement la construction de mosquées dans le monde entier et, notamment, dans des pays comme la Chine, où il convient de ramener dans le troupeau les brebis égarées par le système communiste...

Dans toute la ville, on vend les traditionnels moutons ; on les égorge même en pleine rue dans le caniveau, sans que cela surprenne quiconque, en dehors de l'étranger de passage. Le ramadan vient de commencer en ce mois de novembre 2006. Je guette la prière de la mi-journée devant un édifice qui dresse vers le ciel ses deux minarets blancs, et je vois des fidèles, jeunes et vieux, bien habillés, arriver pour le grand recueillement. C'est même la première fois que je vois autant de jeunes gens vêtus de la tenue islamique : bonnet blanc ou turban immaculé tombant dans le dos et manteau gris fraîchement repassé, descendant jusqu'aux chevilles. Je veux vérifier leur motivation et leur degré de croyance mais, la plupart du temps, ils m'affirment qu'ils suivent la tradition familiale et la coutume locale. Quelques jeunes parlent l'arabe. Ils appartiennent à un groupe de fidèles âgés d'une vingtaine d'années. Leur joie de vivre me rassure. Ils m'affirment qu'ils suivent l'enseignement du Coran pour mieux connaître le monde musulman et apprendre la langue du Prophète.

La fin du ramadan est aussi une fête de famille en Chine. On s'habille propre, on va rendre visite à ses proches, aux grands-parents surtout. Les croyants s'offrent des fruits, des bonbons, mais aussi du miel et des fortifiants. Un couple portant un bébé dans les bras m'invite à le suivre et me présente la grand-mère, coiffée du fichu noir en dentelle des femmes musulmanes du Gansu. L'homme me déclare qu'il travaille au bureau du gouvernement de la préfecture de Lingxia. Je ne reste pas trop longtemps avec eux, je ne souhaite pas qu'ils découvrent que je suis journaliste, alors que je me présente comme un simple touriste, intéressé par l'islam de Chine. Je ne veux pas non plus perturber cette fête où les familles se retrouvent. Les Hui s'offrent ainsi trois jours de congé pour cette fin de ramadan. Seuls les Han travaillent et regardent avec un certain mépris ces musulmans perdre leur temps en prières.

Au second jour de fête, une agitation inhabituelle touche la ville : rues du centre fermées, trafic paralysé. La grande prière qui marque la fin du ramadan se prépare. Trois heures avant, les fidèles ont déjà étalé leurs tapis, leurs draps ou leurs bâches en plastique au milieu de la rue pour prier. Cette fois, beaucoup de jeunes sont présents pour vivre cet événement, apparemment réservé aux hommes puisque les quelques femmes présentes se contentent de regarder sans participer.

Un professeur m'affirme que ce sont des « fondamentalistes » qui ont organisé cette prière. J'aimerais bien connaître leur marge de manœuvre face au pouvoir communiste. Je suis le seul étranger au milieu de cette foule, mais je ne suis pas inquiété. Je me fais plutôt discret. Ces grandes prières de rue me rappellent l'Égypte, où les mosquées ne sont jamais assez grandes pour contenir tout le monde. Voir ces centaines de fidèles en Chine transformer la chaussée en lieu de recueillement me remplit d'étonnement.

Le prêche de l'*ahung* est interminable, mais sans aucune connotation politique, ce qui lui vaudrait sans doute la prison. L'homme se risque juste à dire qu'il faut se méfier de l'influence de la culture étrangère sur l'islam, mais il n'évoque pas les problèmes actuels qui défient la communauté musulmane : Jérusalem, l'Irak ou l'Afghanistan. Le texte a dû être approuvé par le représentant du Parti et l'Association islamique de Chine, qui contrôlent, depuis 1953, les activités des musulmans chinois. Cette cérémonie est tout à fait officielle, mais la police est quand même là. Il n'y aura pas d'incidents ; le déroulement de la prière est digne avec ces centaines de mains se purifiant le visage. Quelques Han traversent la place à la hâte, sur des motos ou des camionnettes, conduites sans respect et sans émotion aucune pour cet instant d'éternité. Le soir, je suis reçu dans la famille Zheng. À soixante-cinq ans, le père a épousé une femme hui qui n'en a guère que trente et lui a donné deux garçons de sept et cinq ans. La télé diffuse en permanence des shows et des danses. C'est le meuble principal de la maison, qui me semble très bien tenue. La famille Zheng vit en parfaite harmonie avec sa religion, l'islam, et ne paraît guère gênée par les diktats du Parti.

Le pouvoir communiste laisse donc se développer les religions traditionnelles tout en contrôlant leurs activités. Il a constaté que les Chinois avaient besoin de croire en d'autres choses qu'en la simple progression du pouvoir d'achat et du taux de croissance. La religion devient pour le régime une soupape de sûreté ; elle permet de canaliser les espoirs des populations qui, à travers la foi, peuvent redonner un sens à leur vie.

Dongguan, aux portes de Hong Kong, aligne 6000 fabriques de jouets. Les « petites mains » n'y sont payées qu'une centaine d'euros par mois et ne rentrent dans leur province que pour le nouvel an lunaire.

Fabrique de chaussures à Canton (province du Guangdong) produisant 800 000 paires par an. Selon son directeur, M. Song, « les Chinois vivaient jusque-là avec une ou deux paires de chaussures ; ils sont en train de chausser le monde entier ».

Ningbo attire les travailleurs migrants des provinces pauvres du centre de la Chine. En une dizaine d'années, elle s'est classée dans les premiers rangs des cités industrielles de Chine avec une population de 6 millions d'habitants.

La vie paysanne
dans les rizières de
Yuanyang, à 100 km
de la frontière du
Vietnam. Les terrasses
s'étagent sur plus
de 2000 mètres
de hauteur, mais le
système de distribution
de l'eau a survécu
à l'épreuve du temps.

« La Grande
Muraille sauvage » :
un potentiel touris-
tique fabuleux et
inexploité.
Sur 6000 km
de longueur, seules
quelques centaines
sont aujourd'hui
fréquentés.

Le barrage des Trois-Gorges a fait monter le fleuve Yangtsé jusqu'à une hauteur de 145 mètres, inondant onze villes. En 2009, ce réservoir artificiel couvrira la superficie de la Suisse.

Le plus grand barrage du monde attire chaque année plus d'un million de visiteurs. L'ouvrage est contestable, mais dépasse 2 km de longueur. Les Chinois en font leur fierté.

La sécheresse dans la province du Ningxia est devenue dramatique (ici en 2006). Elle fait ressortir le sel de la terre dans les cours d'eau à sec. Les dunes de sable avancent alors vers le fleuve Jaune.

La destruction du vieux Pékin dans le quartier de Qianmen (2006) ;
plus de la moitié des quartiers de ruelles de Pékin a été rasée durant
la dernière décennie pour faire place à des immeubles d'affaires ou
d'habitations.

Tiananmen reste un lieu très sensible, près de vingt ans après le massacre du 4 juin 1989. Chaque commémoration, comme la fête nationale du 1er octobre, provoque un déploiement impressionnant des unités d'élite de l'Armée populaire sur cette place qui fait sept fois celle de la Concorde. (2004)

Jeunes filles de la province de l'Anhui en balade sur la place Tiananmen lors de leur découverte de Pékin (2005).

Le troisième âge en action (2004). Le pouvoir veut que le peuple pratique des exercices, notamment pour éviter qu'il ne tombe sous l'emprise des « Falun gongs ». Dans toutes les villes de Chine, des agrès sont installés pour que les gens bougent et respirent.

Exercice matinal et *briefing* obligatoire pour la centaine d'employés d'un grand magasin de Pékin avant l'ouverture des portes.

Les Chinois aiment sans doute les chiens dans leurs assiettes, mais de plus en plus aussi comme compagnons. La taxe sur les chiens ayant fortement baissé, les retraités adoptent volontiers un animal domestique.

À Lhassa, le Potala n'est plus qu'un monument classé au patrimoine de l'Unesco. Face aux menaces du pouvoir chinois, le XIVe Dalaï-lama a déserté le siège du gouvernement tibétain en 1959. Mais, pour le peuple tibétain, l'édifice reste une étape importante du pèlerinage dans la capitale.

Pèlerins tibétains en grande tenue pour les célébrations de la prière du Monlam, événement majeur de la vie religieuse tibétaine qui a lieu une fois par an (Xiahe, 2004).

Jeune moine du monastère tibétain de Labrang (province du Gansu), partagé entre loisirs et recueillement (2002).

Portraits de pèlerins tibétains dans les régions de Lhassa et de Maqen. La mariée *(en haut à droite)* porte des bijoux d'argent offerts par son futur époux. Les promis doivent appartenir à des clans différents et choisir un jour faste pour célébrer leur union.

Cavaliers tibétains venus traiter avec la banque de Chine dans la ville de Maqen (province du Qinghai), située à 4000 mètres d'altitude : le nouveau visage du monde des affaires dans le *Far West* chinois.

Pèlerin tibétain dans les rues de Xiahe (province du Gansu). Ces hommes marchent parfois plusieurs mois, en se prosternant à chaque pas de toute leur hauteur, pour se rendre sur les lieux saints du bouddhisme tibétain. Par cette souffrance, ils gagnent des mérites.

Prière du ramadan chez les musulmans huis de la ville de Lingxia (province du Gansu), surnommée aussi « La Mecque de la Chine » en raison de ses nombreuses mosquées et de sa ferveur religieuse.

Mosquée de Tongxin, province du Ningxia qui compte près de 10 millions de musulmans (2006). La Chine est le seul pays au monde avec le Maroc où les femmes imams ont leur place, mais celles-ci ne sont pas autorisées à prêcher.

Famille ouighour du Xinjiang. Dans le cadre de la politique de l'enfant unique, les minorités ont le droit d'avoir deux enfants, mais les familles sont souvent beaucoup plus nombreuses et doivent payer une forte amende ou même cacher leurs rejetons.

Femme voilée à Kashgar (Xinjiang). Le voile est pour les Ouighour une façon d'affirmer leur identité face aux Han qui sont de plus en plus nombreux à s'installer dans cette province frontalière du Pakistan et de l'Afghanistan.

Il est rare de voir des manifestations en hommage à Mao Zedong, mais ces paysans du Gansu ont tenu à défiler avec son portrait à l'occasion du nouvel an lunaire (2004).

Délégations d'unités de travail se succédant dans le village natal de Mao Zedong, à Shaoshan (province du Hunan) : itinéraire obligé d'une nouvelle forme de tourisme baptisée « tourisme rouge ».

Les portraits de Mao Zedong contribuent à la mode du kitsch sur le marché aux puces de Pékin.

10

Des enfants pas si uniques

Le village de Guancun, dans le centre de la Chine, n'est guère éloigné de l'ancien quartier général de Yan'an, d'où les communistes chinois combattirent les troupes de Chiang Kai-shek. Ici, la misère a poussé facilement les paysans dans les bras des communistes. Ils vivent encore dans des cavernes aménagées dans la terre de lœss, logement rudimentaire mais plutôt confortable et pratique. Une seule pièce en général, avec un lit commun à toute la famille : le *kang*, chauffé par-dessous grâce à une conduite qui apporte directement la chaleur du fourneau.

Celui de la famille Shang, qui vit ici depuis plusieurs générations, mesure au moins cinq mètres de large, car il doit accueillir les parents et les quatre enfants.

La famille Shang appréciait le slogan de Mao : « Un enfant, c'est une bouche de plus à nourrir, mais c'est aussi deux bras pour la révolution. » Ces paysans étaient très militants, jusqu'à ce jour de janvier 1979 où des voisins revenus de la ville leur ont fait part d'un décret paru en première page du *Quotidien du peuple* : « Les couples ne sont désormais autorisés à mettre qu'un seul enfant au monde sous peine de sanctions. »

Nous avons pris prétexte d'un reportage sur une troupe de théâtre itinérante pour pénétrer dans ce village d'un millier d'habitants. Sur les murs, des slogans ont été peints : « Respectez les mots d'ordre du planning familial ». Mais les paysans ne s'en soucient guère. La famille Shang, autrefois harcelée par les autorités locales pour avoir largement dépassé la norme autorisée de deux enfants par couple, n'est plus inquiétée. Elle n'a jamais vu d'étrangers passer ici, mais elle parle sans crainte.

« Je me sens un peu fatiguée, nous dit la mère, qui confesse d'emblée son âge, quarante-deux ans. Mais je suis heureuse du fond du cœur. J'étais épuisée quand les enfants étaient petits et je suis contente qu'ils soient grands. Chacun a une responsabilité dans la famille : il y a celle qui élève le cochon, celle qui s'occupe de l'âne et celle qui fait la cuisine. Et mon fils, il est bien. La vie est un peu dure mais, à la campagne, on aime avoir plusieurs enfants, même si c'est interdit par le planning familial. Par exemple, le père de mon mari a eu six fils et deux filles ; en tout, ils sont huit dans la famille ; mon mari est le quatrième. Autrefois, les personnes âgées croyaient que plus d'enfants apportaient plus de bonheur. Mais, maintenant, c'est moins d'enfants, plus de bonheur.

« Heureusement, ils n'ont pas de difficultés dans la vie, ils peuvent manger à leur faim, et c'est déjà pas mal. La plus grande a dix-huit ans, la deuxième a quinze ans. La troisième a douze ans. Et celui-ci, il a onze ans.

« Si notre garçon était né en premier, je n'aurais pas voulu en avoir d'autres, mais, à la campagne, on espère toujours un garçon. Bien sûr, j'ai dû payer les amendes qu'ils m'ont demandées. J'ai eu une amende pour celle-ci, et pour celle-là également, nous dit-elle en désignant les deux filles qui se tiennent droit derrière la table de pierre... Après la naissance de mon fils, j'ai dû subir, en plus, la ligature des trompes, et mon mari une vasectomie.

« Après avoir payé l'amende, on est plus tranquille. Avant, on me demandait d'aller passer des examens tous les mois. Mais maintenant, avec mon âge et comme les enfants sont grands, on ne m'impose plus ce genre de contrôle.

Quand je vais à la ville, les gens me disent : vous avez quatre enfants et en plus trois filles ! Comment est-ce possible ? Mais, dans le village, les gens sont jaloux et me lancent : "Tes trois filles sont déjà aussi grandes !" »

L'exemple des Shang est presque banal. Dans les campagnes chinoises, beaucoup de familles comptent plusieurs enfants mais, bien souvent, pour ne pas avoir à payer d'amende, les parents ne les déclarent pas. On les appelle « les enfants de l'ombre ». Ils seraient une vingtaine de millions et viennent fausser les statistiques du gouvernement.

D'abord la plupart du temps, les mères accouchent à la maison et ne sont donc pas repérées et enregistrées. Ensuite, le couple cache provisoirement les enfants. Quand les agents chargés du recensement frappent aux portes des villages, ils se sont déjà envolés. Résultat : ces gamins non reconnus ne sont pas scolarisés car les parents ne peuvent payer l'école et ils vivent dans la misère.

En Occident, on pense qu'avec la politique de l'enfant unique, toutes les familles chinoises n'ont droit qu'à un seul enfant. Mais il existe de multiples exceptions à cette loi adaptable en fonction des résultats des recensements, qui ont lieu tous les quatre ans. Les minorités, par exemple, ont droit à deux enfants. Elles ne représentent que 7 % de la population chinoise, et le pouvoir communiste ne voit guère d'inconvénients à ce qu'elles se développent un peu plus vite que la majorité han, car elles ne menacent pas l'équilibre démographique. À la campagne, les paysans ont droit aussi à deux enfants.

La loi s'est même assouplie en ville. Une famille peut avoir un deuxième enfant cinq années après la naissance du premier et tenter de mettre au monde un garçon si le premier a été une fille. Un couple où les deux membres sont enfants uniques pourra, de même, avoir deux enfants. La naissance d'un bébé handicapé donne également droit à un deuxième essai. Enfin, les familles aisées ne sont guère soumises à cette politique de l'enfant unique puisqu'elles peuvent toujours payer les amendes : 10 000 euros environ. Les autorités, constatant que de plus en plus de couples pouvaient échapper à la loi grâce à l'argent, ont décidé d'augmenter sensiblement le prix de la sanction.

Reste que les méthodes pour contrôler les naissances sont des plus autoritaires et fortement contestables. Dans les petites villes de la province pauvre du Guangxi, au sud de la Chine, le planning familial s'est carrément installé à côté du commissariat de police. Les femmes y vont la peur au ventre. Elles nous confient leur désir sincère d'avoir plusieurs enfants mais savent que les matrones en blouse blanche qui les examinent ne les laisseront pas accomplir leur rêve. Elles n'ont pas de scrupules à prescrire l'avortement forcé, puisqu'il est légal en Chine jusqu'au huitième mois de la grossesse.

La commune de Bobai a même lancé une vaste campagne de répression contre les familles trop nombreuses. Sur les murs, on peut lire : « Avorter ou non, déterminera le sort de votre terre et de vos vaches. » Plusieurs centaines d'agents sont venus au domicile des paysans dresser des amendes, ordonner des avortements et même saccager les maisons de ceux qui ne voulaient pas payer. Ce genre d'incident m'a été régulièrement rapporté, et j'ai souvent rencontré, dans les campagnes chinoises, des femmes qui se plaignaient des excès et de la cruauté des agents chargés de faire respecter la loi sur l'enfant unique.

La maladie des six amours

Le pouvoir se félicite aujourd'hui de sa politique de limitation des naissances, qui aurait permis d'empêcher l'arrivée de quatre cents millions d'enfants durant ces trente dernières années. Les conséquences sont difficiles à évaluer. Le taux de fécondité est passé de 5,8 enfants par femme, en 1970, à 1,8 aujourd'hui. Mais l'équilibre de la société est brisé car, dans le même temps, le nombre des personnes âgées de plus de soixante ans ne cesse d'augmenter grâce à l'amélioration de la qualité de la vie. Dans vingt ans, elles seront deux cent cinquante millions et il n'y aura pas assez de jeunes pour s'occuper des vieux.

L'Association chinoise du troisième âge estime que 30 % des personnes de plus de soixante-dix ans vivent dans des « nids vides », des maisons d'où les oiseaux, c'est-à-dire les enfants, se sont envolés. Le modèle antique des « quatre générations sous un même toit » est donc en voie de disparition.

La solidarité familiale est bouleversée par l'économie de marché, et la grande majorité des vieux ne peuvent pas s'offrir de séjour en maison de retraite, tant les prix sont élevés pour le maigre pécule qu'ils reçoivent. Un tiers seulement des anciens salariés d'entreprises touchent une pension, et les anciens ne peuvent pas vivre sans une aide extérieure.

Si un couple doit limiter le nombre de ses enfants, voire même le réduire à un seul, il est donc essentiel de pouvoir en choisir le sexe. La préférence des Chinois pour le garçon est bien connue. Dans la société traditionnelle, le garçon est celui qui va aider ses parents et même ses grands-parents jusqu'à la fin de leur vie. Le petit homme est donc une force, une source de travail et de revenus, alors que la fille partira habiter dans sa belle-famille et que ses propres parents ne la reverront peut-être jamais. « Mieux vaut un garçon stupide qu'une fille maligne », dit-on dans les campagnes. Certains ne conçoivent même pas que leur cercueil, au moment de leur décès, puisse être suivi uniquement par une fille. Une façon *post mortem* de perdre la face…

À l'université du Peuple de Pékin, il existe un institut de recherche sur la population chargé d'étudier l'évolution de la société chinoise. Le professeur Zhai Zhenwu constate les effets pervers de la politique de l'enfant unique :

« Quand un garçon vient au monde, c'est un grand bonheur, alors que si c'est une fille, on ne se réjouit pas autant. C'est une tradition machiste. Avant cette période du contrôle des naissances, si quelqu'un avait une fille, puis deux filles, eh bien, il continuait à procréer jusqu'à l'arrivée d'un fils ; mais à présent que le maximum est de deux enfants, il faut absolument qu'il y ait un garçon. Si le premier est une fille, peu importe, mais, dans ce cas, il faut que le deuxième soit un garçon… Et, pour être sûr d'avoir un fils, il y a toutes sortes de recettes de bonne femme, comme de manger acide ou épicé. On trouve aussi des conseils dans la médecine traditionnelle ; sinon, c'est le recours à l'avortement. »

Cette passion pour le garçon comme enfant unique va le transformer en enfant roi. La Chine vit à l'heure du règne des petits empereurs. Il faut les entourer, les soigner et les protéger. Ils devront réussir dans la vie car il en va de la survie de la famille. Ils ont donc autour d'eux les parents et les quatre grands-parents qui offrent leur temps, leur amour et même leurs économies pour le bien-être et le succès de l'enfant.

Les Chinois ont donné un nom à ce syndrome : « la maladie des six amours ».

C'est elle qui engendre ces enfants gâtés et obèses, autoritaires et grincheux, avec leurs glaces ou leurs sucreries à la main. On les rencontre dans les villes, à la sortie des écoles. Ils sont trop gros et trop nourris. On dit qu'en Chine, 15 % des enfants sont obèses. Il existe même des « cours sur l'enfant unique », où des médecins et des sociologues analysent leurs comportements et celui des parents. À Tianjin, le professeur Chen Lin-Ling est un observateur sans complaisance de la société chinoise :

« Après la naissance d'un garçon, la mère dit toujours : "Ah, ça y est, j'ai un fils ! Il fait partie de mon âme, c'est une valeur sûre." Puis elle l'emmène partout où elle va, chez les amis et les parents. Mais aujourd'hui, en Chine, il est difficile d'établir une relation d'ami entre parents et enfants. En Europe, les enfants appellent leur père directement par son nom. La mère est aussi égale devant sa fille. Mais la Chine a une histoire de civilisation de plusieurs milliers d'années, et notre tradition ne nous le permet pas.

« Les parents ont du mal à s'accorder avec leurs enfants car ils sont égoïstes et veulent qu'ils collectionnent de plus en plus de diplômes. Par exemple, votre enfant est capable de réussir les examens de l'université de Tianjin, mais vous lui demandez de passer les examens d'une université d'un niveau supérieur et ensuite d'entrer à Qinghua, la meilleure université de Chine. Vous ne serez jamais satisfaits. Un élève s'était, par exemple, inscrit dans une école secondaire spécialisée dans la porcelaine. Les parents étaient désespérés et pensaient qu'ils avaient perdu la face. Ce garçon avait même dû prendre tout seul le chemin de son école mais, grâce à ses bonnes notes, il a obtenu une bourse pour les États-Unis et il est resté cinq ans là-bas. »

Une telle mise en valeur du rôle du garçon dans la société est la porte ouverte à la sélection par le sexe et donc à l'élimination des filles. Dans toutes les maternités de Chine, à la ville comme à la campagne, des affiches rappellent pourtant qu'il est interdit aux médecins d'annoncer le sexe de l'enfant à la future maman. Mais dans un pays où la corruption est bien ancrée dans le système, il est assez aisé d'obtenir les résultats d'une échographie et, moyennant quelques milliers de yuans, de savoir s'il s'agit d'un garçon ou d'une fille et s'il souffre d'un handicap. Car même un garçon doit être bien formé puisqu'il sera, en principe, l'unique enfant du couple.

À partir de là, tout est possible : garder l'enfant ou le supprimer. Les chiffres parlent d'eux-mêmes : il y a officiellement, en Chine, cent dix-neuf garçons pour cent filles, alors que la moyenne mondiale est de cent cinq garçons pour cent filles... Trente-sept millions de filles manquent donc à l'appel, trente-sept millions d'êtres humains à qui l'on a refusé la vie à cause de leur sexe. D'où ce vaste trafic de femmes que l'on observe en Chine mais également avec les pays voisins comme le Vietnam. Trente mille Vietnamiennes auraient été conduites de force en Chine en moins de cinq ans. Les paysans chinois profitent aussi de la présence des réfugiées nord-coréennes, qui fuient clandestinement leur pays.

Adopter des fillettes ou des handicapés

Le problème de la discrimination par le sexe éclate au grand jour quand on pénètre dans les orphelinats de Chine. Il n'y a là que des fillettes ou des enfants handicapés. Les Chinois n'aiment pas ouvrir la porte de ce genre d'institution aux journalistes, car ils mettent le doigt sur une plaie. En 1995, un réalisateur de la quatrième chaîne de la télévision commerciale britannique s'est introduit, de façon anonyme, dans un orphelinat de Huangshi, province du Hubei. Il a filmé des enfants délaissés, attachés à leurs lits, faméliques et même mourants. Le documentaire est intitulé *L'Antichambre de la mort*. Il présentait l'institution comme un véritable mouroir pour les orphelins. Les autorités chinoises ont dénoncé une manipulation et contrôlent, depuis cette date, toute information concernant les enfants abandonnés.

À l'occasion d'un reportage sur l'adoption, nous poussons la porte de l'orphelinat de Shenyang. Tout est en ordre. Les enfants jouent dans la cour, d'autres font du dessin, les petits sont couchés. Très fière, la directrice m'informe que toutes les filles s'appellent Dang, comme le Parti communiste chinois, et les garçons s'appellent Guo, comme le pays, la Chine. Il n'y a pratiquement que des filles parmi les deux cents orphelins. Les seuls garçons sont des enfants handicapés. Souvent, le handicap n'est que léger, genre bec-de-lièvre, alors qu'une opération banale aurait permis d'effacer à jamais cette déformation. Mais, dans les campagnes, on l'ignore encore et, de toute façon, les paysans n'ont pas d'argent pour payer l'intervention. Alors, uniquement pour cela, ils abandonnent les enfants. D'autres souffrent d'un handicap plus lourd, comme la paralysie cérébrale. Il faut donc les masser chaque jour pour éviter l'atrophie musculaire.

C'est pitié de voir ces enfants abandonnés. Il y a là Dang Qing, assise dans sa chaise à tablette. Elle a six mois, mais un bec-de-lièvre impressionnant qui la défigure complètement et lui ronge aussi le palais. Même à ce stade, une telle déformation reste parfaitement opérable. Il y a aussi Dang Lina, cinq ans, épileptique et retardée mentalement. Il y a Ping Ping, trouvée dans le quartier la veille et apportée là par la police. Elle a un an et porte six points de suture dans le dos, témoignant d'une opération récente.

Je me dis que ces gamins ne reverront jamais leurs vrais parents car, en Chine, il est interdit d'abandonner son enfant. Les femmes qui s'en séparent les laissent donc dans une gare ou devant un hôpital, quand ils ne sont pas carrément assassinés. Ensuite, les mères disparaissent. La police fait des recherches mais elles ne se montrent plus, sauf si, dans les jours qui suivent, elles regrettent leur geste. Alors elles se dénoncent en sachant qu'elles seront punies. Mais, la plupart du temps, l'abandon est définitif.

Je suis frappé par la présence d'une soignante qui porte sur son visage la cicatrice d'un bec-de-lièvre. J'engage la conversation mais j'hésite à lui demander si elle est une enfant abandonnée qui a grandi ici. Elle devance ma question. Su Guilan me confirme qu'elle est orpheline et que, depuis trente ans, elle vit dans cet orphelinat. Ses parents l'ont abandonnée à l'âge de six mois. Tout en pliant les draps des enfants, elle me raconte sans gêne son histoire :

« J'ai passé mon enfance dans cette institution et j'y suis restée. On m'a envoyée à l'école de Shenyang pour mes études mais je vivais toujours ici. J'ai commencé à travailler à l'orphelinat en 1983 comme aide-soignante. »

Su Guilan a souvent un pincement au cœur quand elle s'occupe des enfants :

« Je suis jalouse d'eux. Regardez comme les conditions se sont améliorées. Quand j'étais petite, la vie était beaucoup plus dure. Nous n'avions pas grand-chose à manger. Personne ne voulait de nous. Et maintenant, ces enfants retrouvent un père et une mère, tandis que moi, je n'en ai toujours pas. Je les envie d'avoir ce bonheur. Ils ont une famille, qu'elle soit chinoise ou américaine, ils ont de la chance. »

Les enfants ne trouvent pas toujours de nouveaux parents mais, pour Su Guilan, beaucoup d'espoirs sont aujourd'hui permis :

« Quand un nouvel enfant arrive chez nous, nous partageons sa douleur d'être ainsi abandonné et nous commençons à nous occuper de lui, comme s'il était notre propre enfant. D'un côté, nous souhaitons qu'il soit adopté par une bonne famille, qu'il trouve un papa et une maman comme les enfants normaux et qu'il puisse être heureux, mais, d'un autre côté, nous sommes tristes quand il nous quitte. »

Certains couples chinois viennent à l'orphelinat une fois par semaine pour s'occuper bénévolement des enfants. Ils s'attachent souvent à l'un d'eux, même s'il est handicapé, et finissent parfois par l'adopter.

Les Liu ont plus de soixante-dix ans, mais l'âge ne les a pas gênés pour adopter une fillette de l'orphelinat, très agitée, très capricieuse, mais bien en vie. Elle a douze ans aujourd'hui. Eux-mêmes avaient perdu leur fille à l'âge de cinq ans et c'est une sorte de bonheur retrouvé. Ils vivent plutôt à l'aise, au septième étage d'un immeuble de la banlieue de Shenyang, dans un trois pièces au carrelage jaune.

« Nous nous sentions seuls dans la vie, dit le père. Après la mort de notre fille, plus personne ne vivait avec nous ; or, nous sommes plutôt à l'aise avec la retraite fournie par l'État et nous ne dépensons pas tout. Avec cet argent, nous aidons une orpheline à vivre en société et, surtout, elle nous apporte la joie.

Elle nous appelle "grand-père" et "grand-mère" car ses parents appartenaient, bien sûr, à une génération plus jeune que la nôtre.

Elle sait qu'elle a été adoptée. Elle sait que sa famille vivait à la campagne, dans une petite maison avec une cave. Elle se souvient seulement de ça. Elle avait trois ans quand ses parents l'ont emmenée en ville et abandonnée. Elle souffrait d'une cardiopathie, ce qui demandait des soins très coûteux. Comme ils étaient pauvres, ils l'ont finalement abandonnée. Ils s'en sont débarrassés à la gare du Sud, puis la police l'a trouvée et emmenée à l'orphelinat. »

Appréciez les filles !...

L'adoption, en Chine, n'est pas très répandue. Les gens savent que la grande majorité des orphelinats n'abritent que des filles ou des handicapés alors qu'ils cherchent surtout des garçons... et, de plus, en bonne santé. Beaucoup de parents chinois hésitent à dire à leurs enfants qu'ils ont été adoptés car ils redoutent de les voir partir et de se retrouver seuls pour leurs vieux jours. Chez les minorités miao, qui vivent au sud du pays par exemple, l'adoption est carrément contraire à la conception de la famille, comme nous l'explique le directeur de l'école de Dalian (province du Liaoning) :

« Dans la tradition de notre ethnie, si vous n'avez pas d'enfant et que vous adoptez celui de quelqu'un d'autre, il ne deviendra jamais votre propre enfant.

Faute de liens de sang, il ne s'occupera plus de vous quand il sera grand. C'est pourquoi personne, ici, n'adopte d'enfant. »

La méfiance des Chinois vis-à-vis de l'adoption profite, en réalité, aux étrangers, aux couples américains surtout. La demande reste forte, mais le système est bien rodé, les règles très strictes. Ce sont des adoptions plénières, qu'aucun jugement ne peut remettre en cause, et cela rassure les familles.

Alors que la France utilise les services de bénévoles d'organisations humanitaires pour aller adopter quelque trois cents enfants chinois par an, les Américains sont passés au stade supérieur, avec des agences spécialisées installées sur place. Elles servent d'intermédiaire et permettent de faire adopter, chaque année, près de dix mille enfants chinois par des couples américains. Il suffit d'aller à l'Hôtel du Cygne blanc à Canton, véritable quartier général des familles d'adoption, pour constater l'ampleur de ce mouvement. Les couloirs sont encombrés de poussettes et les cris des enfants envahissent les étages. On peut voir ainsi de fragiles bébés chinois, pour la plupart des fillettes bien sûr, partir dans les bras de couples américains corpulents, devenus, en une semaine, leurs nouveaux parents pour quelques milliers de dollars.

Il y a dix ans encore, ces adoptions d'enfants par des étrangers choquaient les Chinois. Le côté nationaliste ressortait, du genre : « Ce sont nos enfants qui partent dans les bras des étrangers ! » Aujourd'hui, les choses ont changé. Mais le Centre chinois des affaires d'adoption (CCAA), qui gère toute la vie des orphelins du pays, reste un organisme fermé, méfiant, sur ses gardes, qui ne livre pas le chiffre des enfants abandonnés. On sait seulement que cinquante mille petits Chinois sont adoptés chaque année.

La plupart des orphelinats ne laissent pas même entrer les familles d'adoption. Que veulent-ils donc cacher ? Les conditions de vie, le faible investissement financier de l'État chinois dans ces institutions ? Les couples se voient ainsi remettre directement les enfants dans les locaux administratifs du Centre chinois des affaires d'adoption alors qu'ils aimeraient tant visiter les lieux où ces gamins ont passé les premières années de leur existence.

Pour lutter contre le déséquilibre entre les filles et les garçons, qui ne sert ni la cause du Parti ni celle du pays, les autorités ont lancé une vaste campagne de sensibilisation baptisée « Appréciez les filles ! », qui concerne surtout les campagnes. Dans certaines régions pauvres, comme le nord de la province de l'Anhui, on compte plus de cent trente garçons pour cent filles.

À l'école primaire de Pinxo, les enfants ne sont guère qu'une vingtaine par classe. Ce sont, en grande majorité, des garçons. Les parents, trop pauvres, n'envoient pas les filles à l'école et, de toute façon, dans ce village de deux mille habitants, les petits empereurs sont nettement majoritaires. L'institutrice a reçu l'ordre de changer la mentalité des jeunes générations. Elle cite Mao Zedong, qui s'est illustré avec cette phrase : « La femme est la moitié du ciel. » Elle rappelle que la plus grosse fortune de Chine est une femme : Yang Huiyan. Elle montre les photos de celles qui se sont illustrées dans l'histoire de la Chine, avec aujourd'hui Wu Yi, la « dame de fer chinoise », vice-Premier ministre de la République populaire, oubliant de dire aux élèves qu'on ne compte guère que deux femmes dans le gouvernement chinois.

Pour que les paysans préservent la vie de leurs filles, une prime de 80 euros leur est accordée, et une partie des frais de scolarité est gratuite. On leur promet aussi des indemnités quand ils atteindront le troisième âge, mais cela ne change guère les comportements.

À la ville, le problème est moins sensible. Dans les maternités de Pékin ou de Shanghai, les couples nous affirment, la plupart du temps, qu'ils sont indifférents au sexe de l'enfant et qualifient de « mentalité féodale » cette préférence pour les garçons. Car, même s'ils mettent au monde une fille, les parents savent qu'elle pourra quand même veiller sur eux : dans les cités chinoises, la vie de la femme n'est pas entièrement tournée vers celle de son mari.

Enfin, il y a les couples qui déclarent carrément qu'ils ne veulent pas d'enfants. À Shanghai, par exemple, la municipalité enregistre plus de décès que de naissances : les jeunes mariés sont d'abord tournés vers l'appât du gain ; ils travaillent tous les deux et ne pensent pas à fonder un foyer dans les premières années, comme ce jeune couple, heureux de fêter ses six mois de mariage dans un petit studio de la capitale économique mais très prudent sur l'arrivée d'un enfant qui, de toute façon, ne devra être qu'un garçon.

« Notre travail, à chacun, commence à bien fonctionner. Un enfant nous ferait ralentir le rythme. Ça n'est pas bon pour notre promotion. L'autre raison est que nous aimons nous amuser. Nous voulons profiter de notre jeunesse pour voyager. Nous passons beaucoup de temps dehors, deux à trois semaines environ, et cela influence déjà notre travail. Si nous avions un enfant, nous passerions la plupart du temps avec lui. Il faut être responsable de l'enfant après sa naissance. Il faut s'occuper de lui pendant une assez longue période et encore s'occuper de lui quand il aura grandi. Enfin, notre appartement est trop petit, comme vous l'avez remarqué. Nous devons offrir un endroit sympa à l'enfant, par exemple une chambre indépendante, de l'espace. Nous n'y arriverons pas maintenant. »

Mais, lorsque l'enfant paraît, les couples savent qu'ils peuvent compter sur les grands-parents, qui jouent, aujourd'hui, un nouveau rôle : s'occuper de leurs petits-enfants pendant que père et mère sont partis travailler. Dans les campagnes, beaucoup de couples ont carrément quitté la maison familiale pour se faire embaucher dans une entreprise d'une province lointaine, laissant leurs enfants au village à la charge des grands-parents. Ils ne reviennent au pays qu'à la nouvelle année. On pensait que les jeunes devraient s'occuper des vieux ; c'est le contraire qui se produit, car il faut bien que quelqu'un prenne soin des enfants pendant une aussi longue absence.

Dans les villages de la province pauvre de l'Anhui, la plupart des couples sont partis travailler dans les usines de Shanghai, à cinq cents kilomètres de là, laissant leurs enfants sous la garde des grands-parents. Il est fréquent de rencontrer ces grands-pères et grands-mères de plus de soixante-quinze ans qui s'occupent d'un petit-fils. Ils doivent les accompagner dans leur vie quotidienne et leur éducation scolaire, un surcroît de travail en fin de vie qu'ils ont souvent du mal à assumer. Souvent, les instituteurs dévoués s'occupent de ces enfants sans parents. L'Unicef estime que vingt millions de petits Chinois vivent ainsi à la campagne, privés de père et de mère.

Ceux qui partent à la ville avec leur famille ne sont guère mieux lotis : impossible de les intégrer à un système scolaire puisqu'ils n'habitent pas là et que leurs parents n'obtiennent généralement pas le permis de résidence temporaire, véritable casse-tête administratif. La « taxe de scolarité » varie de 50 à 150 euros par semestre, sans compter les frais scolaires. Ils sont simplement considérés comme des enfants de migrants qui repartiront un jour dans leur campagne et n'ont pas droit à une scolarité normale.

De toute façon, ils ne pourraient pas la payer. Le socialisme chinois n'a prévu l'éducation des enfants que sur les lieux de naissance. Les fils et filles de paysans ne peuvent pas s'intégrer au système scolaire des villes et, s'ils restent à la campagne, ils devront se contenter d'un enseignement médiocre. La discrimination est évidente.

Plus de vingt millions d'enfants de paysans traînent ainsi leur peine dans les villes de Chine. Ils ne peuvent fréquenter que des écoles privées, fondées par des volontaires et financées par la charité publique ou les dons d'entreprises. Mais les classes sont trop nombreuses et le niveau des professeurs peu satisfaisant.

Les droits d'inscription s'élèvent à quelque 80 euros, presque un mois de salaire des parents. Le gouvernement veut fermer progressivement ces écoles. Celles-ci ne font pas bonne figure, surtout à Pékin, la capitale olympique, qui en compte plus de deux cents. Une cinquantaine d'entre elles devraient mettre la clé sous la porte, au risque de transformer ces élèves défavorisés en enfants des rues.

11

CAMPAGNES EN RÉVOLTE

« Il est désormais interdit d'utiliser les terres des paysans pour y construire des villas ou des terrains de golf... » Cet avertissement, lancé par le Premier ministre Wen Jiabao en ouverture de l'Assemblée populaire du printemps 2006, révèle une situation surprenante dans un pays communiste, mais surtout un véritable drame vécu par le monde rural : la réquisition des terres pour y construire des résidences de luxe, des usines, des parcs d'attractions ou des terrains de golf. Chaque année, deux millions de paysans perdent leur terre. Ils sont devenus les laissés-pour-compte du développement de la Chine et, pour cette raison, j'ai voulu aller à leur rencontre.

Nous sommes informés par des journalistes japonais que des terres ont été saisies aux agriculteurs du village de Luxinhe, dans la région de Tangshan (province du Hebei), à deux heures de route de Pékin, pour y construire la nouvelle zone industrielle. Peu d'indemnités ont été versées, mais beaucoup d'argent est resté, apparemment, dans la poche des autorités locales. Des foyers de résistance se sont organisés. Interdits, bien sûr. Il n'y a, en Chine, ni syndicats libres ni associations de défense des opprimés pouvant exercer sans être inquiétées.

Notre voiture, avec ses plaques d'immatriculation noires signifiant qu'elle appartient à des étrangers, nous rend rapidement suspects sur ce genre de terrain. Si nous sommes interpellés, je propose à l'équipe de dire que nous revenons du musée du tremblement de terre de Tangshan, l'un des pires qu'ait vécus le monde au siècle dernier : officiellement deux cent cinquante mille morts. L'endroit n'est qu'à dix kilomètres de là.

Sylvain Giaume a caché la caméra professionnelle sous son manteau posé sur la banquette arrière. La caméra de touriste, qui sera plus discrète, se trouve dans son petit sac à dos. Nous sommes partis sans contacts, « à la pêche » comme on dit, mais la formule donne souvent de bons résultats. Nos errements nous conduisent d'abord sur un terrain vague où une femme ramasse des cartons. C'est une paysanne sans terre qui vit, à présent, du ramassage des ordures.

D'emblée, elle raconte qu'on lui a donné l'équivalent en yuans de 230 euros comme indemnité. C'est le tarif appliqué pour une terre non cultivable alors qu'elle vivait des légumes qu'elle faisait pousser là. La future zone industrielle va manger tout son terrain. En Chine, ce sont les comités de village qui possèdent les terres agricoles. Elles sont concédées aux paysans pour trente ans. Mais les autorités locales négocient elles-mêmes le transfert au secteur privé, et c'est la porte ouverte à tous les abus et toutes les corruptions.

Cette femme n'a plus rien à perdre et se confie sans honte et sans crainte à l'étranger de passage. Elle ne fait même pas attention à la petite caméra que Sylvain a tournée vers elle. Elle explique que son mari travaille dans une usine pour 500 yuans (50 euros) par mois. Elle a, en plus, un fils handicapé. Elle est même allée protester à Pékin au fameux bureau des plaintes, mais personne n'a prêté attention à son problème.

Nous repérons un immeuble en construction d'où l'on pourra obtenir une vue panoramique sur toute la zone industrielle. Des migrants s'affairent dans le bâtiment et ne font guère attention à nous, à tel point que nous allons chercher la caméra professionnelle dans la voiture pour faire des images de meilleure qualité. Vue d'en haut, la situation apparaît clairement : les nouvelles constructions de la zone de développement encerclent un village d'une centaine de maisons ; c'est là qu'il faut aller.

Sur place, nous sommes attirés par une famille en train de déménager. En fait, ce sont des travailleurs migrants qui logeaient chez un couple à la retraite et choisissent de quitter l'endroit. Le couple paraît effrayé par notre présence mais accepte de parler. Il a, lui aussi, perdu sa terre et son seul revenu est la location d'une chambre aux ouvriers du chantier de la zone industrielle.

La colère du mari s'exprime sans retenue : « Ils ont normalement des directives au Comité central. Si un paysan ne veut pas céder sa terre, il peut la garder. On ne peut pas le forcer. Mais, chez nous, si tu ne donnes pas ta terre, ils embauchent des truands pour venir te battre. C'est la deuxième fois qu'ils viennent dans le village et des gens de la police ont même participé à ça.

« Vous, les étrangers, vous avez les droits de l'homme, mais nous, les Chinois, si on n'est pas sages, on fait venir des hommes de main pour nous taper dessus, et on ne sait même pas qui les a embauchés… Les chefs de village, les secrétaires du Parti ont tous une voiture Audi. Mais d'où vient leur argent ? C'est celui de l'exploitation de nos terres… Quand ils font leur rapport au Comité central de la ville, ils disent que les terres sont de bonne qualité, mais quand ils nous les achètent, ils disent qu'elles ne sont pas bonnes et qu'elles ne sont pas cultivables. »

Notre entretien a duré une dizaine de minutes. Il est temps de partir mais, au moment où nous songeons à

« décrocher », un homme se présente comme le chef du village. Il est accompagné par la police. Nous avons été dénoncés, sans doute par une voisine qui regardait d'un drôle d'air nos déplacements autour de la maison. Sylvain a le temps de subtiliser la cassette du tournage et de la remplacer par une autre cassette usagée.

Reportage « clandestin » et autocritique...

Le commissariat de police est à quelques kilomètres de là. Nous y resterons quatre heures. Notre cas a l'air de poser problème. D'abord, nous n'avons pas nos passeports avec nous, ce qui, nous dit-on, est illégal et, en plus, nous sommes dans une zone qualifiée de sensible. Pas moins d'une vingtaine de personnes s'agitent autour de nous. Le commissaire est nerveux, presque inquiet sur notre sort. Tant de gens ont vu la scène, tant de personnes du pouvoir local ont participé à notre interpellation qu'il perdrait la face en nous laissant partir.

Notre assistante chinoise, Chang Jing, est l'objet d'un interrogatoire particulier et j'en suis désolé. Toujours la même chose : on lui reproche d'avoir emmené des étrangers sans autorisation sur un lieu de tournage, alors qu'elle sait très bien que le règlement l'interdit. Elle s'en sortira en disant qu'elle ne fait qu'obéir à mes ordres.

En fin de journée, l'atmosphère se détend. Le chef de la police nous dit qu'il n'y aura pas de sanctions car la Chine entretient de bonnes relations avec la France, mais que, la prochaine fois, il faudra demander la permission en bonne et due forme. Je dois quand même signer une « autocritique » où je reconnais avoir voulu faire un « reportage clandestin ». Les vieilles méthodes du régime ont la vie dure, mais les autorités du ministère des Affaires étrangères à Pékin, sans doute averties de l'incident, ne m'adresseront aucun reproche, pas

même un coup de fil pour me demander des explications, comme si elles laissaient au pouvoir local le soin
de démêler les situations où il s'est lui-même enfoncé.
Nos témoignages filmés sont sauvés, mais il manque
des éléments à cette enquête. Quelques jours plus tard,
nous opérons dans une autre région de la province du
Hebei où des centaines de paysans ont été spoliés par
les réquisitions de terre, au nord de la ville de Tianjin.
Ils n'ont pas froid aux yeux. Ce n'est pas la première
fois qu'ils reçoivent des journalistes étrangers. Ils pensent que si la presse internationale parle de leurs problèmes, le pouvoir fera des efforts pour les écouter. Ces
familles sont venues à Pékin à plusieurs reprises ; elles
ont même fait la queue au bureau des plaintes, dont la
seule fonction est, finalement, de ficher les mécontents.
Ils n'ont rien à perdre.

Le rendez-vous est fixé sur une bretelle d'autoroute.
Deux hommes et une femme, dans une camionnette aux
vitres teintées, nous prennent en charge. Ils nous conduisent au domicile d'un des meneurs paysans appelé Chen.
Il a été arrêté plusieurs fois et placé en résidence surveillée. Il nous affirme que les autorités lui ont retiré ses
« droits civiques ». La soixantaine, le visage sculpté par
l'air sec du Hebei, édenté, il est assis sur un *kang*. Il
s'exprime sans pause, en flot continu, comme ceux qui
en ont gros sur le cœur.

« Les autorités ont distribué les parcelles de terre en
fonction du nombre de personnes par famille. Nous
sommes six à la maison. Mais quand elles ont voulu les
reprendre, elles n'ont offert aucune indemnité. Il paraît
que la loi chinoise ne prévoit pas cela. Je me suis donc
porté volontaire pour aider les villageois à exprimer
leur mécontentement. Les autorités locales et le comité
du village ont essayé de m'offrir un peu d'argent pour
que je ne fasse pas de remous et que j'arrête les
démarches officielles. J'ai répondu que cet argent n'était

pas le mien, que c'était celui du peuple et j'ai refusé. D'ailleurs, même s'ils me donnaient leur argent personnel, je n'en voudrais pas. Alors ils sont venus régulièrement chez moi, tous les deux ou trois jours, pour me passer à tabac et casser ma maison. J'ai compté qu'ils étaient venus neuf fois, mais je n'ai pas cédé. »

Nous restons moins d'une heure chez ce meneur paysan. Nos guides nous conduisent ensuite devant le bureau du gouverneur, où une centaine de personnes se sont rassemblées. Ces gens sont tous des villageois dépouillés de leurs terres. La police est là, un peu désarmée, mais la population garde son calme. Elle veut, avant tout, se faire entendre.

Nous filmons ce rassemblement depuis notre camionnette aux vitres teintées : sentiment étrange de pouvoir observer la scène sans être vus, même si, parfois, nous avons l'impression que les policiers ont réussi à percevoir un mouvement de la caméra, dénoncé par un rayon de soleil.

Nos guides paysans nous font passer ensuite devant le domicile du gouverneur. Une centaine de villageois sont rassemblés là. Un paysan ouvre spontanément la porte de la camionnette, comme pour en faire descendre les passagers. Nous sommes à découvert. La foule nous a vus. Mais la surprise est forte de voir cette population se mettre soudain à genoux, croiser les doigts en signe de prière face aux étrangers que nous sommes et qui pourront, peut-être, témoigner pour eux. J'oubliais que nous sommes en terre chrétienne dans cette province du Hebei et que les habitants aiment faire appel à leur foi pour lutter contre les injustices du Parti. Nous quitterons les lieux sans être poursuivis par la police.

Bataille rangée

J'apprends plus tard qu'un journaliste du *Washington Post*, Edward Cody, a pu récupérer auprès d'un paysan une vidéo montrant la répression contre un groupe de villageois qui s'opposait aux réquisitions de terre dans cette même province du Hebei. Cet agriculteur a pu filmer une cinquantaine d'hommes de main, armés de longs bâtons, frappant des paysans qui refusaient d'abandonner leurs domaines pour y laisser construire une usine électrique.

C'est une véritable bataille rangée, des incendies se déclarent un peu partout. Les affrontements feront six morts chez les villageois. Je n'ai jamais vu un document pareil. Si les paysans chinois se mettent à faire de la vidéo, le monde sera bien informé sur la Chine. Je suis heureux d'inclure les images d'une pareille jacquerie dans notre reportage.

Notre témoignage sur ces réquisitions de terres aux paysans sera diffusé quelques jours plus tard, sans qu'il provoque aucune réaction des autorités à Pékin. Même l'ambassade de Chine à Paris aurait pu s'offusquer de voir à l'antenne un reportage en principe confisqué et clandestin. Elle ne l'a pas fait.

L'événement illustre bien, pour moi, la lutte du pouvoir entre la capitale et les provinces. Les régions chinoises peu développées, comme la province du Hebei, restent très sensibles à l'image que vont donner d'elles des télévisions étrangères. Elles ne veulent pas que des journalistes venus d'ailleurs mettent le doigt sur les problèmes de corruption, de réquisitions de terres, de pollution, etc. Elles font tout pour les empêcher de mettre le nez dans leurs affaires.

De plus, comme la province du Hebei n'est guère loin de Pékin, elle reçoit souvent la visite des correspondants étrangers basés dans la capitale qui viennent y traiter des sujets compromettants pour les autorités locales. Elles sont donc doublement méfiantes.

Le pouvoir central, lui, semble plutôt indifférent à ce genre de témoignages que vont diffuser dans le monde les observateurs étrangers, dès l'instant où le Parti n'est pas mis en cause. Ces reportages lui rendent finalement service car ils lui donnent des arguments pour mettre au pas les autorités provinciales. Les dirigeants de Pékin peuvent ainsi jouer le rôle de justes face à des régions reculées où le pouvoir est corrompu et qu'il faut faire rentrer dans le rang.

Avec ces réquisitions, le gouvernement chinois affronte un problème explosif pour tout le pays. Non seulement les paysans se retrouvent sans terres, mais l'industrialisation mord de plus en plus sur des terrains qui étaient exploités. Or, la Chine ne possède que 7 % de terres cultivables.

Cette situation aggrave la misère du monde rural. Jusqu'en 1998, les paysans étaient fortement imposés : pas moins d'une centaine de taxes. Le système fiscal s'est allégé mais, dans le même temps, les revenus des produits agricoles ont baissé et les paysans sont partis travailler à la ville, désertant les campagnes.

Le gouvernement reconnaît que quatre-vingt-dix millions de personnes, surtout dans les campagnes, vivent avec moins de un dollar par jour, alors que d'autres s'enrichissent allègrement.

Une nouvelle tendance se dessine pourtant : le retour des paysans ouvriers dans leur province, pour travailler dans des centres urbains proches de leurs lieux de résidence. Partir vers les régions développées à deux mille kilomètres de son village, avec tous les sacrifices que cela comporte, n'en vaut parfois pas la chandelle. Les salaires ne sont guère plus élevés, et souvent les migrants se font abuser par les entreprises, qui ne peuvent pas les payer. Parallèlement, les petites villes

des régions pauvres dont ils sont originaires se développent et ont elles aussi besoin de main-d'œuvre.
L'exode rural vers les cités industrielles n'en continue
pas moins comme un flot ininterrompu. Plus de cent
vingt millions de paysans travaillent aujourd'hui dans
les villes, mais ce transfert de la population paysanne
vers les cités ne saurait être une solution de rechange
à la réquisition des terres dans les campagnes.

12

AU PAYS DE TOUTES LES AMOURS

La ruelle est triste et poussiéreuse, avec des triporteurs abandonnés le long des murs, mais quand on pousse la porte d'une maison sans numéro, la grande pièce sent le neuf avec son bar en bois, ses quelques tables et ses chaises en métal. Il faut montrer patte blanche au petit groupe qui discute à voix basse. C'est le premier repaire des homosexuels de Pékin, qui sortent à peine de l'ombre après une nuit de plusieurs décennies. Au mur, l'affiche du film chinois *Hommes et femmes*, qui traite de l'homosexualité mais reste toujours interdit en Chine.

Au printemps 2001, un article de l'Association chinoise de psychiatrie annonce que l'homosexualité n'est plus considérée comme une maladie mentale. C'est le signal. Timidement, les homosexuels sortent de leur silence et se montrent même en société. Ils créent des petits clubs, comme celui où nous sommes.

J'aborde Xiaoming, un garçon de vingt-deux ans environ aux cheveux dressés sur la tête, à l'allure sympathique et qui me présente ses compagnons. Ces garçons n'étaient pas obligés de me recevoir. Je leur en suis reconnaissant. Ils préfèrent cacher leur visage pour l'interview et j'accepte volontiers. Je ne veux pas les mettre en difficulté avec leur famille ou avec la société, car ils ont encore très peur.

« La plus forte pression est familiale, me dit Xiaoming, parce que les parents sont très attachés à la tradition. Ils pensent que leurs enfants doivent se marier, se trouver une fille... Si je leur dis que je suis tombé amoureux d'un garçon et qu'on est bien ensemble, ils deviendront fous. Quand les gens comprendront que l'homosexualité ne présente pas de danger, peut-être que la pression familiale s'allégera. Quant à la pression sociale, elle existe, bien sûr... Si ma famille savait, ce serait sûrement un grand traumatisme parce que leur façon de voir est tournée vers le passé.

« Un garçon et une fille qui se marient, voilà qui est normal, tandis que des personnes du même sexe qui s'aiment, c'est inimaginable pour eux. Au boulot, les gens connaissent plus ou moins ma situation, mais cela reste une affaire privée.

Il m'est arrivé de parler de ce sujet avec ma famille. Elle est capable de comprendre ; elle accepte même de voir des films sur le sujet. Mais que leur propre fils soit "gay" ils refusent. La tolérance viendra bien un jour, mais il faudra beaucoup de temps.

« En Chine, maintenant, il existe beaucoup de chanteurs qui sont gays, mais ils ne veulent pas que les gens le sachent car cela pourrait nuire à leur succès. »

Mes interlocuteurs me rappellent que, dans l'histoire de la Chine, l'homosexualité a toujours existé et qu'elle n'était pas réprimée. Les empereurs avaient leurs mignons. La dynastie des Qing avait instauré une règle selon laquelle les fonctionnaires n'avaient pas le droit d'aller voir les prostituées ; ils se rabattaient donc sur les jeunes garçons. Durant la révolution culturelle, les homosexuels étaient carrément envoyés dans des camps de travail, mais les filles vivaient avec les filles, et les garçons avec les garçons. Leurs pratiques ne cessaient guère, même s'ils devaient se cacher des autres et de leurs gardiens. Les

sociologues estiment à 3 % la population homo-
sexuelle en Chine.

J'aborde Li Min, avec son petit blouson satiné mais
discret. À première vue, je ne saurais le définir comme
un homosexuel ; il est habillé comme tous les jeunes
qu'on peut croiser dans la rue. Il est trop tôt pour qu'il
se permette de faire de la provocation, d'autant qu'il a
toujours du mal à faire accepter son mode de vie par
ses parents.

« Ma famille n'a pas une attitude très claire. Elle se
doute que je suis gay, mais elle ne veut pas y croire.
Quand j'étais élève du secondaire, j'étais pensionnaire
au lycée. Je n'étais pas rejeté par mes camarades de
classe. Ils étaient capables d'accepter. À la fac aussi,
une fois que tu connais les gens, ils t'acceptent sans
te déranger.

« L'homosexualité n'est pas une perversion, ni une
maladie mentale. Bien sûr, parmi les homos, certains
ont des problèmes psychologiques, mais la majorité
sont des personnes mentalement saines. La vision qu'a
la Chine des homosexuels du point de vue de la culture
sexuelle est très différente de l'Occident. Car, dans nos
religions, rien ne s'oppose à de telles pratiques. »

La voie est donc libre pour la reconnaissance de
l'homosexualité, malgré les tabous sexuels qui continuent de peser fortement sur la société chinoise. Des
boîtes de nuit réservées aux homosexuels se sont
ouvertes et ils sont acceptés dans les discothèques des
grandes villes.

Nous avons même pu les filmer au Nightman, à
Pékin, où le samedi soir trois cents personnes dansent
sur la piste avec une musique assourdissante qui ne
vous permet guère de parler avec votre voisin. Sous les
éclairs et les couleurs changeantes, ils se retrouvent
dans plusieurs coins de cette immense salle, sans que
les autres couples y trouvent à redire. Ils restent timides

et discrets. Il faudra du temps pour qu'ils se fassent accepter. Mais ce retard n'a finalement rien de surprenant : les pays voisins ont aussi pris leur temps. Le Japon n'a retiré l'homosexualité de la liste des maladies mentales que cinq ans avant la Chine.

La prostitution comme élément du taux de croissance...

L'amour sous toutes ses formes ne se cache plus dans la Chine d'aujourd'hui. Des femmes créent des blogs où elles livrent leurs sentiments, leurs comportements, leur passion. Se tenir par le cou, par la main, s'embrasser dans les jardins publics devient un élément de la vie quotidienne. On peut facilement vivre en couple dans les villes sans être mariés et sans que la société y trouve à redire. Les Chinois fêtent même la Saint-Valentin ou, du moins, s'y réfèrent.

Le mariage est de moins en moins un arrangement, mais, surtout, les couples n'ont plus besoin de demander l'autorisation à leur entreprise. Fini le temps où votre employeur décidait si vous pouviez ou non vous marier. Quand cette règle a été levée, en 2002, quelque six mille couples se sont mariés en une semaine à Pékin à l'occasion des fêtes du 1er octobre.

Lin et Lo, employés dans une agence de publicité, ont accepté ma présence à leur côté au bureau des Affaires civiles de Pékin pour leur mariage. Pas de témoins, pas d'invités, une petite chaire avec un micro derrière laquelle se plante le fonctionnaire local sous l'emblème de l'État. Ils ont simplement dû fournir une carte d'identité, un permis de résidence et une attestation de célibat. Cérémonie purement administrative où le couple prononce ces paroles avant de recevoir son livret :

« Nous prêtons solennellement serment debout, sous l'enseigne de la République populaire de Chine. En cet instant solennel de l'enregistrement du mariage, nous jurons d'observer strictement les règles de la loi, l'égalité dans le couple, le devoir d'entraide et celui d'appliquer le planning familial. Nous nous promettons dorénavant d'être francs et fidèles, de nous respecter et de nous aimer, de passer par les mêmes épreuves, de nous accompagner pour l'éternité, de fonder une nouvelle vie pleine de beauté. Nous respecterons pour toujours le serment que nous avons prêté aujourd'hui, et chérirons cette promesse mutuelle ! »

Dans le mariage, en Chine, c'est surtout la photo qui compte. Elle a lieu plusieurs semaines avant la cérémonie officielle, car il y a vraiment du monde. Le couple va louer pour quelques heures les plus beaux habits : costume blanc serré avec gilet de satin et nœud papillon clair pour l'homme, longue traîne et grand voile pour la femme sur une coiffure travaillée à grand renfort de gel et même location, pour une heure, d'une voiture de style ancien pour les plus riches. La photo va immortaliser l'instant, plus que le livret rouge du mariage. Elle va trôner dans la pièce principale avec des fleurs autour du cadre sur un fond vaporeux. Le mariage sera romantique ou ne sera pas.

L'amour n'est pourtant pas la première préoccupation des couples chinois qui se présentent au bureau des Affaires civiles ; dans les sondages, il vient après la carrière et la richesse. Mais il est bien présent dans la vie des gens.

Un véritable commerce autour de l'amour s'est créé dans les cités. Les sex-shops se multiplient. On y trouve, en vrac, quelques objets de plaisir, des médicaments, des revues, des vidéos. D'un côté, les Chinois restent assez prudes – le sein nu, par exemple, n'existe pas sur les plages de Chine –, mais, d'un autre côté, ils laissent aller leurs fantasmes et leur curiosité dans les projections privées de DVD interdits à la vente. Car, officiellement, le pouvoir lutte contre la pornographie. Il utilise même ce prétexte pour contrôler les moyens modernes de communication et resserrer son contrôle sur la toile, car qui oserait lui reprocher de faire la chasse au porno ?

La prostitution, en revanche, est une pratique acceptée et reconnue, même si elle est officiellement interdite. Dans les villes, une bonne partie des salons de coiffure éclairés au néon rose ou violet accueillent les clients sans guère se cacher. Les apparences sont sauvées puisqu'ils viennent là pour un shampoing ou une coupe. Mais, dans l'arrière-boutique, tous les cas de figure sont autorisés. Ni la police ni les autorités n'interviennent puisqu'elles profitent aussi du système.

On dit que la prostitution fait vivre plus de vingt millions de personnes. Elle n'est pas vraiment condamnée par le pouvoir, car elle est un élément du dynamisme économique de la Chine. Elle contribue à faire circuler l'argent, elle pousse les hommes à dépenser. On estime qu'elle représente près de 4 % du PNB. Rien d'étonnant, finalement, car la prostitution a toujours plus ou moins existé en Chine, tout comme les concubines, qui reviennent en force dans la vie des Chinois.

La densité de prostituées la plus importante de Chine se trouve dans la province pauvre du Guangxi, frontalière du Vietnam. Pour quelques dizaines d'euros, elles satisfont les désirs des habitants, mais surtout des camionneurs qui empruntent ce passage plusieurs fois par jour. Nous avons pu les rencontrer à l'occasion d'une enquête sur la propagation du sida en Chine. Le Centre des maladies infectieuses a lancé une campagne d'information et leur distribue même des préservatifs. Autrement dit, le pouvoir reconnaît ce genre de pratique.

Rendez-vous est pris au bar d'un hôtel de la ville frontalière de Pingxiang.

Les filles veulent bien parler mais refusent d'être filmées à visage découvert. Elles essaient d'enfiler consciencieusement un préservatif sur un pénis en matière plastique. Elles font cela sans rire, simplement parce que c'est leur métier qui est en jeu. Elles opèrent comme une ouvrière qui essaierait son outil sur une chaîne d'usine. On leur a dit que cela faisait partie de leur travail, qu'il fallait le faire et elles le font :

« Le plus souvent, c'est nous qui fournissons les préservatifs, nous dit l'une d'entre elles le plus banalement du monde, et on demande toujours au client de les mettre, sinon, on ne fait pas l'amour. Mais, la plupart du temps, ils sont d'accord. »

Ces filles pratiquent le plus vieux métier du monde sans aucune honte, comme d'autres fabriquent des T-shirts. Cela montre bien qu'en Chine, la prostitution est finalement quelque chose de banal et que l'ordre moral qui règne dans l'Empire rouge n'a pas vraiment touché ce domaine.

13

ÉPIDÉMIES ET SECRETS D'ÉTAT

Il fait nuit noire et l'on n'entend guère que les chiens aboyer. Pas moyen d'allumer une simple lampe de poche pour voir son chemin. En ce mois de novembre 2005, il fait déjà très froid. Tout semble mort, mais la police et les mouchards du Parti guettent toute activité anormale. Ici, on meurt du sida et il faut faire silence. Nous sommes dans le village de Chuang Miao, dans la province du Henan, à trois heures de route de la ville de Kaifeng. Deux mille habitants de la commune sur cinq mille sont infectés.

La façon dont ces paysans ont été contaminés est bouleversante dans cette région pauvre. Ils ont été appelés à vendre leur sang par le gouvernement lui-même. Une campagne a été lancée à la télévision, des prospectus distribués dans les villages, et tout le monde a suivi le mouvement avec un certain enthousiasme. La Chine avait besoin de sang. Des centrifugeuses ont été envoyées dans des centaines de villages pour y recueillir l'or rouge. Ces machines retiraient le plasma du sang, qui était ensuite réinjecté au donneur afin qu'il puisse garder des forces et donner plus fréquemment ce précieux liquide dont les hôpitaux chinois avaient besoin. Mais les centrifugeuses mélangeaient, en fait, le sang de plusieurs donneurs avant de le redistribuer. La maladie s'est répandue très vite.

155

Nous sommes accompagnés par un jeune étudiant, Li Dan, qui a choisi de défendre les malades du sida et de briser le silence qui les entoure. J'admire son courage. Il a vingt-cinq ans. On lui en donne facilement cinq de moins. Il aurait pu devenir ingénieur, mais il a préféré consacrer sa vie à une cause humanitaire et il a fondé une association pour s'occuper des oubliés du sida. Elle n'est pas reconnue mais tolérée. Le phénomène est peu banal en Chine, car, dans un pays où la vie est dure, on ne pense pas forcément à aider les autres ; or, les paysans contaminés sont considérés comme maudits.

Notre assistante, Adeline Cassier, a organisé cette expédition nocturne. Elle est aussi émue et impatiente que nous de pénétrer dans cet univers des damnés du Henan. Mieux vaut ne pas faire ce voyage clandestin avec des collaborateurs chinois, car les autorités n'apprécieraient guère de voir des citoyens de la République populaire conduire ici des étrangers. Li Dan prend un gros risque en nous emmenant avec lui dans des endroits pareils.

Pour le petit bonheur

Une brume froide et humide s'est abattue sur le village. Nous poussons une porte et le chien aboie. Une femme d'une quarantaine d'années portant le *dayi*, le manteau kaki de l'armée chinoise qu'aiment revêtir les paysans, éclaire notre chemin avec sa lampe de poche et nous fait entrer dans la maison. Tout est sens dessus dessous. Sa vie quotidienne est uniquement centrée sur sa maladie : boîtes de médicaments vides, impossibles à identifier et sans doute inutiles, vaisselle éparpillée, vêtements empilés par terre, sol à peine nettoyé. Elle se confie sans aucune gêne :

« En 1994, le gouverneur du district nous a dit : "Pour atteindre le petit bonheur, il faut vendre son sang." C'est comme ça qu'il nous a encouragés. La vie était dure pour nous. Je n'avais pas d'argent pour vivre et, en vendant mon sang, je pouvais gagner pas mal : 50 yuans à chaque prise (5 euros). À cette époque, au Henan, il y avait des stations de prise de sang pratiquement dans tous les villages.

« Quand la maladie s'est déclarée, ils ont fait semblant de ne pas savoir. Au printemps dernier, mon poumon s'est infecté. Je sais que j'ai la maladie depuis le résultat d'un test que j'ai dû payer. Avant, je ne savais pas. En fait, je n'ai pas peur : ça ne sert à rien. On pense tout de suite à mourir. J'ai dû abandonner le traitement que j'avais commencé car il n'y a plus d'argent à la maison pour me soigner.

« J'ai deux enfants, un au secondaire et l'autre au collège. Personne ne sait que je suis malade, sauf mon mari. Si les gens savaient, ils n'accepteraient pas et la société ne me comprendrait pas. Les enfants seraient méprisés en dehors de la maison... Ma mère, mon frère et ma sœur aînée sont très gentils avec moi, mais je n'ose pas leur dire. »

Une obsession chez ces malades du sida : mourir en laissant des enfants en bas âge qui seront alors sans moyens pour vivre. Dans cette autre maison, où nous entrons discrètement, vit aussi une femme seule ; les enfants dorment à côté.

« Mon mari est mort il y a sept mois ; j'ai trois enfants et une belle-mère de quatre-vingts ans. On m'a donné un peu de médicaments. Aidez-moi à me soigner, pour mes enfants surtout, ils n'ont plus de père, il leur faut une mère. Mon petit a trois ans, le grand en a treize et ma fille en a cinq. Je commence à avoir la diarrhée et mal à la tête. Mon mari est mort très vite quand il a commencé de souffrir de la tête. Au début, quand il est tombé malade, on est allés à Zhengzhou, la capitale de la province. On lui a dit qu'il était à un stade avancé du sida : six mois après, il était mort. J'ai très peur, mon mari et tous ceux qui ont vendu leur sang l'ont attrapé... Mon père et ma mère ont aussi le sida. Ils avaient vendu leur sang. »

Le drame pour ces familles est de constater à quel point les malades se trouvent rejetés, y compris les enfants, même quand ils ne sont pas infectés. Le seul fait d'avoir des parents contaminés les condamne eux aussi.

« Quand mon fils est retourné à l'école, ils ne l'ont pas accepté parce que son père est mort du sida. Ils ont eu peur de la contamination sans même savoir que tout le monde avait déjà la maladie.

« Les enfants ne voulaient plus jouer avec ma fille de cinq ans. Elle était à la maison, elle toussait et, à l'école, personne ne voulait d'elle. Le maître l'avait reléguée toute seule au fond de la classe. Il ne s'en occupait plus, ne corrigeait plus ses devoirs et les autres élèves la maltraitaient. Ils la tapaient tous les jours et je n'osais même pas aller trouver leurs parents. Quand on a cette maladie, on n'est plus un être humain. Je lui disais de rester à l'écart des autres. Mais, un soir, je suis allée voir ces enfants pour leur dire : "Elle ne vous a rien fait, pourquoi l'humilier sans arrêt ?" Le maître a dit : "Ce sont des enfants turbulents, bagarreurs avec tout le monde." Alors j'ai dit : "Si son père était encore là, ils n'oseraient pas se conduire comme ça."

« Je n'ai plus de mari, c'est très dur d'élever mes trois enfants. J'ai encore l'air d'être normale mais je vis avec l'idée de la mort qui me hante, je ne sais pas quand je vais mourir et mes enfants n'auront plus ni père ni mère. Il n'y aura personne pour s'occuper d'eux. J'ai essayé de trouver un orphelinat qui les prendrait mais je n'ai pas réussi. Plus personne ne joue avec eux, ils sont là à la maison. Qu'ils aillent ou non à l'école, le professeur ne dit rien. Ils sont maltraités et humiliés tous les jours. »

« Vous allez mourir ! »

Pendant longtemps, le sida est resté pour les Chinois une maladie honteuse. Il l'est encore aujourd'hui, même si le pouvoir a fini par reconnaître son existence. Les gens ont été longtemps élevés dans l'ignorance. On leur disait : « Ce sont les étrangers qui ont apporté ça dans notre pays ! » Les paysans ne savaient même pas que la maladie était contagieuse. Comme le gouvernement a encouragé les paysans à vendre leur sang, il a toujours cherché à minimiser l'importance du sida, alors que des villages entiers étaient contaminés à plus de 50 % et le sont encore.

Seul un village-symbole, Wenlou, a reçu une aide médicale sérieuse. Un dispensaire consacré à la lutte contre le sida a même été construit. Il est surtout destiné à dédouaner le pouvoir politique. Une victime du sida dans cette région du Henan, c'est comme un pestiféré. On ne l'approche pas, on ne lui achète pas ses légumes s'il en vend au marché, on ne s'assied pas sur le siège où il s'est assis, on ne boit pas dans le verre où il a bu et on empêche ses enfants de fréquenter les siens. À tel point que les gens n'osent même pas se faire tester.

Nous poursuivons notre tournée des villageois de Chuang Miao frappés par le sida et profitons de la nuit pour nous enfoncer dans une ruelle qui conduit à la maison de la famille Liu. Tout le monde dort serré dans la même pièce : les parents et les deux grands enfants. La mère, cinquante-cinq ans environ, enfoncée dans son lit avec une énorme couette, se lamente et pleure ;

elle est condamnée et ne voit aucune issue à sa maladie. Son mari adopte une attitude de révolte qui l'aide sans doute à ne pas sombrer dans la dépression. Il accuse les représentants de l'État de les regarder mourir sans rien faire.

« Le gouvernement nous a dit : "Vous êtes deux mille malades et vous allez mourir... Ceux qui n'ont pas vendu leur sang sont plus nombreux que vous... Vous pouvez donc mourir..." Le district ne s'occupe pas de nous, alors on est pleins de haine. On voudrait des soins, comme ils ont fait pour Wenlou, mais on n'est que des paysans et tout ce qu'on nous demande, c'est d'attendre la mort à la maison. Le gouvernement nous met la pression ; il a fermé les portes et nous empêche de parler. On est allés faire du bruit au district et ils nous ont fait peur, ils ont dit qu'on était des Falun Gong en contact avec l'étranger et qu'il fallait nous faire arrêter. Ils cherchent à nous effrayer pour qu'on se taise. »

Des médicaments sont distribués de temps à autre, mais les malades ne sont pas suivis régulièrement. Très peu d'informations circulent sur la façon de traiter cette épidémie. On leur donne des pilules pour qu'ils se taisent. Une trithérapie représente trente fois le salaire d'un paysan ; or ces populations n'ont pas de sécurité sociale et ne peuvent s'offrir des médicaments à ce prix.

En 2003, le gouvernement a déclaré qu'il allait distribuer gratuitement les ARV du laboratoire chinois Desano à sept mille paysans contaminés du Henan, mais ce « cocktail » ne correspond pas à la combinaison recommandée par l'Organisation mondiale de la santé (OMS) et provoque des rejets. La plupart des malades ont cessé de prendre ce « médicament de Shanghai » et survivent sans traitement en attendant la mort. En réalité, ce choix était surtout industriel, destiné à privilégier l'industrie pharmaceutique chinoise.

Le « cocktail » de médicaments nécessaires au traitement contre le sida coûte actuellement plus de 5 000 euros par an. Le ministère chinois de la Santé veut le ramener à 350 euros, le même prix annoncé par les fabricants indiens qui ne respectent pas les brevets. La Chine demande pour cela la tolérance des laboratoires pharmaceutiques internationaux, sans quoi elle se dit prête à copier les brevets étrangers des thérapies anti-sida.

Li Dan, le jeune militant qui nous guide avec dignité, regarde les ordonnances délivrées aux malades et semble désespéré : « Les médecins sont surtout là pour donner des médicaments contre la fièvre, les rhumes, les diarrhées, mais pour soigner le sida, les gens ne sont pas formés. Il y a même des médecins qui disent aux malades que quand ça va mieux, ils peuvent arrêter le traitement. »

Les paysans du Henan touchés par le sida sont aussi méprisés dans tout le pays. Dans un des rares reportages sur le sujet diffusés par la télévision nationale, la présentatrice demandait aux gens : « Vous n'aviez pas un autre moyen pour gagner votre vie que de vendre votre sang ? », alors que c'est le pouvoir politique lui-même qui a encouragé ces paysans à le faire. Son reportage montrait que les maisons des malades étaient un peu plus confortables que celles des autres, précisant que les gens avaient pu les construire grâce à l'« argent du sang ».

En Chine, on entend dire aussi : « Les gens du Henan sont des fainéants ; ils préfèrent vendre leur sang plutôt que de travailler ; il n'y a que dans cette province que ça arrive. » Ce qui est faux. D'autres régions pauvres sont également touchées, mais celle-ci est la plus atteinte.

Une seule femme a osé élever la voix pour attirer l'attention du pouvoir politique sur le sort des paysans qui ont donné leur sang : le docteur Gao Yaojié, gynécologue. Elle a soixante-dix-huit ans, petite et d'apparence fragile, mais la voix est encore celle d'une militante politique qui n'a pas peur des mots.

Elle nous reçoit dans son appartement de Zhengzhou, la capitale du Henan. Son téléphone est surveillé, son domicile aussi. Elle porte, sur la poitrine, le ruban rouge de solidarité avec les malades du sida. Des tracts s'empilent sur les tables de la salle à manger. Le docteur Gao ne se cache pas, mais, régulièrement, la police l'empêche de sortir de chez elle. Elle n'est pas non plus autorisée à quitter la Chine. Les autorités provinciales ont refusé de lui délivrer un passeport pour qu'elle se rende à Washington recevoir le prix du Conseil mondial de la santé. On l'accuse de travailler pour des « organisations antichinoises ».

Elle entre en colère quand je lui demande si cette affaire de sang contaminé est à présent maîtrisée : « Des paysans sont encore appelés à vendre leur sang dans des conditions douteuses, on ne fait rien pour les orphelins des victimes du sida.

Je pense que les cas de sida vont augmenter parce que les gens qui ont besoin de transfusion sont plus nombreux que ceux qui vendent leur sang ; or le sang qui a été prélevé sur les gens contaminés n'a jamais été détruit et il est sûrement réutilisé. »

Des sidéens plus présentables

La première cause de l'épidémie de sida en Chine reste pourtant la consommation de drogue, surtout aux frontières de la Birmanie et du Vietnam. Le docteur Chen Jie est le maître des lieux ; il est tout-puissant dans la région. Avec lui, pas besoin de passer par le représentant des Affaires étrangères pour filmer un état des lieux du sida. Il a pratiquement autorité sur le pouvoir politique dans cette province du Guangxi, la troisième de Chine et la plus touchée par l'épidémie. Il nous conduit à tombeau ouvert dans sa vieille voiture sans amortisseurs jusqu'à la frontière vietnamienne.

Avec la drogue et la prostitution, le sida prend un visage plus « présentable » pour les autorités chinoises qu'avec les ventes de sang dans la campagne du Henan. Le régime ne se sent pas impliqué et accepte de nous présenter la situation réelle. Dans un bureau de santé, des seringues sont même à la disposition des drogués. Discrétion assurée, paraît-il. Un homme d'une quarantaine d'années, la pupille brillante et le regard allumé, nous dit sans gêne qu'il vient en chercher pour ses copains. Apparemment, il a le feu vert de la police locale.

« Dans ma rue, les drogués sont nombreux ; si tu leur demandes de venir prendre des seringues, ils ne viendront pas : c'est trop loin. Il y en a pas mal qui tiennent des boutiques où ils vendent des fruits. Ils ne veulent pas être aperçus, donc c'est nous, les copains, qui venons chercher les seringues pour les distribuer après. Je fais ça pour limiter les cas de sida parce que le jour où il y aura ici une personne infectée sur deux, ce sera la catastrophe. Bien sûr, j'ai un peu peur, mais comme on est enregistrés à la police, on ne nous embête pas trop. »

Le docteur Chen Jie a même accepté que Médecins sans frontières monte un département de lutte contre le sida à la clinique de Nanning, la capitale du Guangxi, dirigée par le docteur Marchandy. Cent quarante patients sont soignés gratuitement par trithérapie, mais s'engagent à suivre leur traitement jusqu'au bout. La salle d'attente ne désemplit pas ; les gens osent venir, mais il s'agit surtout de contamination par voie sexuelle. À Nanning, nous ne sommes plus dans le monde paysan et les gens abordent de front la maladie ; les victimes n'en sont pas moins rejetées par la société, comme cet homme venu à la consultation :

« Le sida est considéré comme une maladie infectieuse de deuxième catégorie. Il y a un article de la loi disant qu'il ne faut pas mépriser les séropositifs, mais un autre article dit qu'il est interdit aux séropositifs de travailler dans les domaines comme la restauration ou la fonction publique. Alors, comment peut-on vivre comme ça ? On n'a pas la force de travailler comme main-d'œuvre et on est méprisés. »

Un ancien militaire d'une cinquantaine d'années a choisi d'aider bénévolement les gens infectés ; il est lui-même séropositif. Il est chargé de les accueillir dans un appartement discret, baptisé « refuge », au sixième étage d'un immeuble fatigué, capable de loger une vingtaine de personnes venues de loin pour faire des examens ou suivre le traitement. Mais aucune indication et aucun nom sur la porte.

« Ces malades savent tous qu'ils sont infectés par le VIH. Ils sont dépressifs. Ils ressentent une destruction et une blessure intérieure. Ils pensent qu'ils ne peuvent pas être guéris par les médicaments. Ils se sentent coupables et blessés. Mais maintenant, avec le traitement et l'aide psychologique, leur moral est meilleur.

Je fais ce travail depuis six mois. Je leur raconte mes propres expériences et les progrès de la connaissance en matière de sida. Ils voient qu'ils ne sont pas totalement méprisés par la société, qu'il y a encore des gens qui ont du cœur, alors ils reprennent espoir.

Mais la majorité des gens méprisent les malades. Moi, par exemple, j'ai été infecté en octobre 2002. Les membres de ma famille m'ont quitté. Ils ne s'occupent plus de moi. À cette époque, j'ai été hospitalisé à Pékin, je n'avais aucun sou sur moi et j'étais faible. On a prévenu mon entreprise, et le directeur a propagé la nouvelle partout. Alors, à mon retour, j'étais rejeté par les gens et mes proches ont tout fait pour s'éloigner de moi. Ma voisine, qui est femme de directeur, a peur de passer devant moi. Elle prend donc l'ascenseur du bâtiment d'à côté jusqu'au huitième étage, puis traverse les couloirs et redescend encore deux étages pour arriver chez elle. De même, mon fils ne peut plus prendre le bus de l'école car on est au courant de ma maladie. On a dû le changer d'établissement. Heureusement, tout marche bien pour notre refuge, à condition que personne ne sache qu'on est séropositifs. »

Aujourd'hui, on ignore le nombre des victimes du sida en Chine. Le gouvernement reconnaît l'existence de huit cent cinquante mille malades dans le pays et la mort de cent cinquante mille personnes. Mais les chiffres n'ont pas changé depuis cinq ans... Les militants de la lutte contre le sida estiment que cent mille orphelins, qui ont survécu à la mort de leurs parents, attendent de trouver un foyer. La prise de conscience vient très lentement ; des crédits sont débloqués pour bâtir des orphelinats au Henan, l'accès aux trithérapies s'est amélioré mais les dégâts sont bien là. La peur de révéler au pays et au monde l'importance de l'étendue de la maladie a entraîné la mort et la contamination de dizaines de milliers de personnes. Tout cela parce qu'il faut « garder la face », cultiver l'image d'un pays et d'un Parti qui sait maîtriser les épidémies et ne pas montrer le visage d'une nation malade.

La bataille du Sras

Dans le même esprit, le pouvoir chinois a caché pendant plusieurs mois le développement de l'épidémie de Sras (syndrome respiratoire aigu sévère), qui a fait plus de huit cents morts en Chine au printemps 2003.

L'atmosphère est plutôt sinistre dans le vol qui me ramène de Bangkok à Pékin en ce printemps 2003. Je reviens, en fait, du Koweït, où j'ai couvert les trois premières semaines du début de la guerre d'Irak. Rien à voir avec la Chine, mais ma chaîne connaissait mes affinités avec le monde arabo-musulman. Puisque toutes les rédactions ont les yeux braqués sur l'Irak, autant être sur ce front-là plutôt que piétiner en attendant que l'actualité soit de nouveau tournée vers l'Asie.

Tous les voyageurs portent le masque blanc. Des informations inquiétantes courent sur la propagation de cette épidémie de pneumopathie atypique dont on ignore à peu près tout. Une telle protection n'est pas du goût de deux passagers sikhs : ils ne veulent pas accrocher leurs masques derrière leurs oreilles, car cela les oblige à dégager le turban bien plié qu'ils portent sur la tête, ce qui est contraire à leur pratique religieuse. Après moult palabres, ils feront donc semblant de porter le masque et le personnel de bord se rangera à ce compromis.

À Pékin, aucune mesure particulière à l'arrivée : « L'épidémie n'est pas chez nous », semblent dire les Chinois, qui veulent, comme à l'habitude, se dégager de toute responsabilité. Le bruit court, pourtant, que plusieurs centaines de personnes sont déjà hospitalisées dans la capitale. J'habite à côté d'un hôpital militaire et nous voyons chaque jour d'étranges créatures, entièrement vêtues de combinaisons, masquées et gantées, transporter des malades vers un bâtiment réservé. Mais aucune information ne sort dans la presse chinoise.

Les regards sont plutôt tournés vers Hong Kong. Un médecin qui a séjourné à l'Hôtel Métropole a contaminé plusieurs personnes qui iront répandre la maladie au Vietnam, au Canada et à Singapour. Or, Hong Kong, c'est la porte de la Chine, avec notamment une province frontalière, celle du Guangdong, l'une des plus peuplées du pays, où les animaux et les hommes cohabitent de façon risquée. Il est clair que le virus est parti de cette région. La Chine finit d'ailleurs par reconnaître que trois cents personnes ont contracté une forme de pneumopathie atypique, mais affirme que la maladie est sous contrôle. Les étrangers sont les seuls à se poser des questions ; ce sont eux qui ont le plus d'informations entre les mains. Mais ils ne s'inquiètent guère. J'entendrai même dire : « Il ne faut pas avoir peur, c'est un virus qui touche surtout le corps médical ! »

En Occident, la presse est accusée de semer la panique, mais les journalistes ne font que reprendre les communiqués de l'Organisation mondiale de la santé, qui parle de « menace à l'échelle mondiale ». Elle préconise même de filtrer les passagers dans les aéroports des pays touchés et déconseille de se rendre à Hong Kong et dans le Guangdong. Elle accuse ouvertement le gouvernement chinois de minimiser l'étendue de l'épidémie. La presse chinoise passe bien sûr sous silence ces avertissements.

Dans les rédactions parisiennes, les avis sont partagés. Certains disent : « Attendons que le virus soit chez nous avant d'en parler. » D'autres se demandent si des Français de Chine sont touchés ; dans le cas contraire, inutile de traiter cette information lointaine, d'autant que l'Amérique s'enfonce dans la guerre d'Irak.

En ce début du mois de mars, les quelques informations que laisse filtrer le pouvoir chinois ne donnent pas une idée claire de l'étendue de l'épidémie. Après de multiples démarches, nous sommes autorisés à filmer à l'hôpital Ditan qui accueille une douzaine de malades du Sras. Nous ignorons les risques et les précautions à prendre. Tout comme d'ailleurs le personnel de l'établissement, qui évolue sans crainte d'une salle à l'autre, enfile plusieurs protections, mais oublie de se laver les mains…

Les médecins nous donnent des bottes et des combinaisons, mais ils n'ont pas assez de masques pour le visage à nous prêter. En fouillant dans mon sac, j'en retrouve deux ou trois, achetés 50 centimes à la gare de Pékin, et je me dis qu'ils feront bien l'affaire... Paul Sutton, le cameraman qui m'accompagne, s'en accroche un par les oreilles sans se poser de questions, et nous fonçons dans le couloir des condamnés. Étonnant de voir le dévouement des infirmières chinoises qui, pour quelques centaines d'euros par mois, s'occupent de ces malades dont on ignore tout du mode et du degré de contagion. Elles résident même à l'hôpital durant ce début d'épidémie, à la fois pour ne pas risquer de propager le virus à l'extérieur et pour être en permanence à la disposition des médecins et au chevet des victimes.

Nous évoluons dans cette ambiance sans trop savoir quoi filmer : ne pas focaliser sur les victimes afin de respecter leur souffrance, ne pas déranger les infirmières pendant les soins, éviter nous-mêmes d'attraper le virus... Le plus parlant est finalement la séance d'habillage du corps médical avant qu'il pénètre dans la chambre des malades. Je me rends compte alors à quel point nous sommes vulnérables, avec nos masques achetés à la gare de Pékin et qui ne protègent rien.

Nous sommes satisfaits d'avoir pu enfin pénétrer dans un hôpital qui soigne les malades du Sras mais j'ai conscience qu'il s'agit là d'un établissement modèle. Le drame de cette maladie vécue dans les provinces, avec toute l'ignorance qui s'y attache, n'apparaît pas ici. Personne ne peut évaluer l'ampleur de l'épidémie.

L'inquiétude devient plus forte chez les étrangers, mais les chancelleries ne veulent pas donner le signal et ne pas froisser les Chinois en prenant des mesures qui déclencheraient la panique. L'ambassadeur de France Jean-Pierre Lafon réunit les familles dans le gymnase du lycée français pour donner son sentiment et ses instructions. La salle est en sous-sol. Une bonne centaine de personnes sont venues aux nouvelles. On y respire mal. L'endroit, confiné et chaud, est idéal pour la propagation du virus. Plusieurs personnes portent d'ailleurs le masque. Il aurait mieux valu se réunir dans la cour. L'homme semble sûr de lui. Il nous dit qu'il a été en poste au Liban et en Iran et qu'il en a vu d'autres, que beaucoup de circonstances doivent être réunies pour contracter cette maladie et qu'il y a peu de chances d'en être victime. Il se veut rassurant. Il affirme haut et fort qu'il ne fermera pas le lycée français et que les cours continueront comme avant.

Trois jours plus tard, le Sras frappe un diplomate finlandais, montrant ainsi que la communauté européenne est vulnérable. L'ambassade de France décide la fermeture du lycée français ou, plutôt, avance de trois semaines les congés de ses sept cent quarante élèves, manière diplomatique de mettre la clé sous la porte sans paniquer les parents. Mais le résultat est bien là : la France a tiré la sonnette d'alarme en premier. Nous sommes montrés du doigt par les étrangers vivant à Pékin, et les Chinois sont quelque peu amers de voir notre pays mettre l'accent sur cette épidémie qui est toujours passée sous silence dans la presse.

En revanche, l'information circule assez bien sur les téléphones portables. Des mots d'ordre, lancés par des anonymes, conseillent aux gens de ne pas sortir de chez eux car on va transférer des malades d'un hôpital à l'autre. Comme si ce virus, déjà difficilement transmissible, pouvait contaminer la population à partir des ambulances qui vont rouler à pleine vitesse sur les périphériques de Pékin. Le silence, entretenu par les autorités, va amplifier la crainte du développement de l'épidémie. Seul le ministre chinois de la Santé ira déclarer qu'elle est en régression.

Pékin ville morte

La capitale du pays le plus peuplé du monde, avec ses quatorze millions d'habitants, est déserte et silencieuse. La Cité interdite reste ouverte, mais les visiteurs se comptent sur les doigts de la main. Cent mille personnes se retrouvent d'habitude ici au mois d'avril, devant le vieux palais. Aujourd'hui, je ne vois plus que quelques touristes chinois égarés qui n'ont pas eu peur de venir à Pékin et quelques étrangers circulant masqués « pour faire comme tout le monde... ».

La célèbre avenue Chang'an, à huit voies de circulation, ne connaît plus d'embouteillages. Les autobus sont vides car on conseille aux gens d'éviter la promiscuité, favorable à la propagation du virus. Souvent, même, ils restent au dépôt faute de clients... Sur la place Tiananmen, plus personne ne fait la queue pour visiter le mausolée de Mao : rassemblements interdits. Je ne croise que quelques piétons qui accélèrent le pas. Le marché de la soie veut rassurer le client en montrant qu'on a désinfecté. C'est là que les étrangers aimaient acheter à bas prix les copies des grandes marques de sacs à main ou de chemises. Il n'y a pas foule. Certains commerçants déclarent même qu'ils sont au bord de la faillite : « Les vendeurs sont tous partis, nous dit ce marchand. Ils n'ont pas peur de la pneumopathie, mais la pneumopathie a fait baisser le commerce. C'est pour ça qu'ils ne viennent plus. »

Les Chinois ont déserté aussi les grands magasins par crainte de la contagion, comme celui de Landao, les Galeries Lafayette de Pékin. Il y a plus de vendeurs que de clients. Car les vendeurs sont à leur poste. Ils n'ont pas d'autre choix puisque les autorités leur font des difficultés pour retourner dans leur province à l'occasion

170

des fêtes du 1er mai. Dans la rue commerçante de Daz-halan, la plupart des commerçants ont carrément baissé le rideau de fer, comme les patrons de ce petit restaurant : « Je ferme parce que nous sommes les seuls à manger ici. Les clients et les étrangers ne viennent plus. Quand les gens reviendront, on rouvrira car on a envie que les affaires marchent. » Les avions venant de l'étranger sont pratiquement vides. Les voyageurs qui vont de Chine en France sont presque considérés comme des pestiférés quand ils arrivent à destination, et parfois même rejetés par leur propre famille.

Pékin vit dans la peur, alors que Shanghai semble nager dans l'insouciance, comme si la capitale économique de la Chine était à l'abri du virus. Officiellement, aucun cas recensé. J'ai quitté Pékin à contrecœur pour aller couvrir le salon de l'auto de Shanghai, comme si, une fois parti, le piège allait se refermer derrière nous, l'épidémie se développer et nous empêcher de revenir dans la capitale pour y raconter la suite de l'histoire.

À Shanghai, personne ne porte de masque. Le chauffeur de notre taxi demande même à Sylvain, prêt à filmer le moindre cas, de retirer le sien, car, dit-il : « Vous allez faire peur aux gens. » La capitale économique se sent suffisamment à l'abri du virus pour maintenir l'ouverture de ce salon. Plusieurs dizaines de milliers de personnes sont d'ailleurs là, autour des voitures de luxe étrangères, Bentley et Ferrari, ou des modèles chinois à bas prix. Le désir d'automobile domine toutes les craintes. Certains visiteurs portent le masque par précaution, mais la peur est moindre alors qu'on a du mal à croire que cette cité de quinze millions d'habitants puisse être épargnée.

Hu Jintao, le chef du Parti, choisit pourtant ce jour-là pour taper du poing sur la table et exiger la transparence. Un médecin militaire, le docteur Jiang, a déjà livré quelques chiffres à la presse étrangère et le pouvoir craint d'être débordé et court-circuité. Le ministre de la Santé, Zhang Wenkang, un Shanghaien de soixante-deux ans, ancien médecin militaire et proche de l'ancien président Jiang Zemin, est limogé. Le maire de Pékin, pourtant proche de Hu Jintao, est également prié de quitter son poste. Son supérieur hiérarchique, le secrétaire du Parti pour la capitale, Liu Qi, membre du bureau politique, s'en sort avec quelques phrases d'excuses, et les vingt-cinq plus hauts dirigeants du régime ne sont pas inquiétés.

Certains observateurs n'ont voulu voir dans cette épidémie qu'un prétexte à règlements de comptes politiques. C'est en partie vrai. Hu Jintao a senti que le Sras était une maladie qu'on pouvait maîtriser avec quelques mesures radicales. Ce fut entre ses mains un atout politique majeur. Montrer que le Parti pouvait venir à bout d'un mal inconnu qui commençait à ronger le pays restait le rêve de tout dirigeant de l'Empire rouge… Il va largement utiliser cette carte.

Mais cette explication ne saurait effacer les risques bien réels de l'épidémie. Le pouvoir annonce trois cent quarante cas révélés uniquement à Pékin. Le visage de la capitale va changer. À l'aéroport, on croirait débarquer dans une clinique : température obligatoire devant des caméras à réactions thermiques qui dessinent des silhouettes d'extraterrestres sur les ordinateurs, passagers ajustant leur masque pour ne pas laisser passer le virus, bagagistes en gants blancs, etc. Je ne suis pas convaincu par ces mesures, mais, au moins, elles donnent l'impression que le problème est pris à bras-le-corps et que la population est mobilisée.

En Asie, le port du masque est assez répandu. Il est destiné à se protéger des microbes des autres ou à contenir les siens. Dans cette épidémie, il devient un signe de ralliement qui se porte pour montrer qu'on est conscient des risques de l'épidémie. C'est un tournant pour la Chine. Elle n'a plus honte de montrer le visage d'un pays malade. Son existence sur la scène internationale et la perspective des Jeux olympiques ne peuvent plus lui permettre d'entretenir ce mensonge.

Le comportement des Chinois est étonnant : ils crèvent de peur. On les voit faire une queue immense à la pharmacie centrale de Pékin pour acheter, à prix d'or, une sorte de « potion magique » censée renforcer les défenses immunitaires. En une semaine, il se vendra près de cinq cent mille bouteilles, ce qui laisse supposer que des stocks étaient déjà prêts avant que le pouvoir n'annonce la gravité de l'épidémie à la population. « Cela permet d'enlever le feu de la maladie et les toxines », me disent les clients, qui n'hésitent pas à débourser 20 euros pour ce genre de traitement douteux. Dans le magasin, nous sommes plutôt les bienvenus : les clients veulent montrer qu'ils se sentent responsables et conscients du danger. La phrase rituelle reste pourtant : « Le gouvernement s'en occupe. » Personne n'ose montrer du doigt le pouvoir politique, qui a gardé jusqu'ici un silence coupable sur la propagation de l'épidémie.

La rédaction de France 2 est surtout intéressée par un thème : y a-t-il encore des touristes français à Pékin ? Mais je réussis quand même à placer ce reportage sur le comportement des Chinois, qui me paraît hautement symbolique.

Les autorités jouent à présent une relative transparence dans l'information, mais cherchent à l'orienter, aussi bien pour la presse chinoise que pour les médias étrangers. De nouvelles visites sont organisées dans les hôpitaux avec une idée en tête : montrer le courage du corps médical. La Chine rouge retrouve ainsi le culte des héros. Et, personnellement, je marche. Je suis sensible à la rencontre avec cette jeune infirmière de l'hôpital Suan Wu, elle-même rescapée de l'épidémie, qui vient de reprendre du service pour soigner les malades du Sras. Luo Ying, âgée de trente ans, me donne sincèrement ses impressions :

« Comme j'ai moi-même été malade, je connais très bien les sentiments des gens. Je sais ce qu'ils éprouvent quand ils ont cette fièvre et quand ils ne parviennent pas à respirer. Je sais ce qu'ils ressentent aussi quand ils voient que leur famille ne peut même pas leur rendre visite puisque c'est interdit à cause de la contagion. Je comprends combien ils se sentent seuls. »

Le spectacle le plus saisissant est celui de la gare centrale de Pékin. Les migrants, qui sont près de trois millions dans la capitale, fuient l'épidémie et cherchent à rentrer chez eux, d'autant qu'on approche des congés du 1er mai. On les voit, avec leurs masques de protection, attendre un hypothétique train pour leur province lointaine de l'Anhui, du Henan ou du Guangxi : visages plâtrés de blanc, résignés et inquiets. Les autorités veulent empêcher que l'épidémie se répande dans le pays, et ces ouvriers paysans doivent normalement posséder un permis pour quitter Pékin, mais personne ne les contrôle.

En revanche, un bureau de santé est installé à l'entrée de la gare. La prise de température est systématique, le personnel médical surprotégé dans des combinaisons et des bottes étanches. La gare de Pékin présente des aspects fantomatiques impressionnants, mais quelque part ridicules. À l'étranger, on commence aussi à redouter que les Chinois en voyage ne propagent l'épidémie.

Ma rédaction titrera même sur « Le péril jaune » en ouverture du Journal de 20 heures. Les quotidiens français parlent sans retenue d'un « tueur en série » et d'un « virus qui se propage à la vitesse d'un virus informatique ». Alors, on dira que les journalistes ont répandu la panique.

174

Dix mille Chinois en quarantaine

La menace la plus immédiate est celle de la quarantaine. Au plus fort de l'épidémie, plus de dix mille personnes seront consignées chez elles, uniquement à Pékin. Il faut même afficher sa température sur sa porte. Gare à celui qui inscrit un chiffre supérieur aux trente-huit fatidiques!... Dans ma résidence, seul un diplomate coréen inscrira chaque matin sur sa porte sa température et celle de sa famille, mais personne ne sera inquiété.

Se faire contrôler avec une grippe et de la température par un thermomètre électronique en passant dans une gare ou un aéroport, se trouver dans un avion avec un passager atteint de fièvre... tout est bon pour vous faire rester chez vous avec interdiction d'en sortir pour une quinzaine de jours. L'université de la communication a dû placer toute une aile du bâtiment en quarantaine. Plus de cinq cents étudiants sont interdits de sortie et ne peuvent recevoir de visite car deux cas suspects ont été déclarés. Les mesures sont radicales et systématiques : température obligatoire au réveil, isolement et désinfection des bâtiments, même du parking à vélos. La nourriture arrive par camions désinfectés, et les professeurs font passer leurs cours par écrit sous les grilles du campus.

Le pouvoir politique joue gros car l'activité économique de la capitale est paralysée. Mais le Parti se doit d'offrir régulièrement quelques frayeurs au peuple pour mieux le rassurer ensuite. Les écoles ont fermé, les avions sont pratiquement vides, les paysans n'osent plus venir à la ville pour y vendre leurs fruits ; la plupart des migrants sont rentrés chez eux, les chantiers ne travaillent plus et les restaurants ont baissé leur rideau de fer.

Les villages autour de la capitale se sont refermés sur eux-mêmes. Des barricades avec des troncs d'arbres bloquent les entrées. Les habitants se méfient des gens de Pékin car ils sont sûrement porteurs de la maladie ; c'est la revanche de la campagne sur la ville... Le « comité des villageois » a installé son bureau au croisement et décide de qui peut entrer et sortir. Même les roues des tracteurs qui reviennent des champs sont désinfectées. Des médecins improvisés prennent la température des paysans. Un habitant nous chasse de l'endroit. Il a vu notre plaque de voiture, qui nous signale comme résidents de Pékin : « Partez, vous êtes infectés ! », menace-t-il.

À l'entrée de la capitale, une longue file de voitures patiente devant trois policiers penchés sur une table dans une station-service. Ils veulent savoir qui vient à Pékin et dévisagent chaque passager. Nous filmons la scène mais nous sommes rapidement interpellés. Là aussi nous avons trahi un secret d'État. Le représentant du Parti, celui du ministère des Affaires étrangères, le commissaire de police, tout le monde est là, autour de nous. Nous sommes encerclés, comme si nous étions de dangereux terroristes. Il faudra finalement effacer cette partie du tournage pour retrouver notre liberté.

À force de traquer les cas suspects, les hôpitaux sont rapidement débordés. Le gouvernement fait le pari d'en construire un en une semaine seulement, à cinquante kilomètres de Pékin, pour accueillir un millier de malades. Site choisi : les environs du village de Xiaotangshan. Sept mille ouvriers vont travailler à ce projet et ils vont réussir.

De l'extérieur, l'hôpital ressemble plutôt à un goulag, avec un mur d'enceinte difficilement franchissable. Et c'est bien le but de l'opération : isoler les malades et les cas suspects en banlieue pour cesser de contaminer la ville. Mille deux cents personnes vont s'occuper d'eux, mais le personnel médical, des médecins militaires surtout, est consigné à l'intérieur. La leçon est en tout cas bien apprise quand on les interroge devant la caméra : « Nous ne pensons pas à la maladie, nous dit cette infirmière ; nous faisons cela pour le bien des gens, ce qui nous donne du courage ! »

À partir de là, les autorités vont rassurer le peuple : le chiffre des malades commence à baisser, les médias chinois invitent les gens à sortir et à ne pas rester confinés chez eux. Il faut faire de l'exercice et respirer au grand air. Sport conseillé : le badminton. Au pied des immeubles, dans les jardins publics, sur les trottoirs, dans les parcs, dans les ruelles, partout le peuple sort de chez lui et joue. Les Pékinois continuent de bouder les transports en commun, mais les achats de voitures font un bond en avant.

Quand l'alerte sanitaire lancée par l'OMS est levée sur la Chine, au mois de juin, le pouvoir est soulagé. Hu Jintao a conforté sa position face à Jiang Zemin. L'épidémie est maîtrisée ; elle aura fait huit cents morts dans le pays. Un chiffre bien sûr trop élevé, mais il est clair, avec le recul, que les autorités ont volontairement exagéré l'importance de la maladie. Ce sera pour moi l'occasion d'apprendre que la tuberculose fait chaque année cent trente mille morts en Chine, et le pouvoir ne s'en étonne guère. Il n'aurait pas réussi à mobiliser le peuple avec une maladie aussi « banale ».

Dans les griffes des poulets

Le même scénario a bien failli se reproduire deux ans plus tard, en 2005, avec la grippe aviaire : silence sur les foyers d'infection, zones interdites aux journalistes, informations livrées avec plusieurs jours de retard. On croit vivre le retour du Sras, mais c'est bien le virus H5N1 qui touche la Chine. L'OMS agite cette fois le spectre de la pandémie qui pourrait faire autant de ravages que la grippe espagnole à la fin de la Première Guerre mondiale.

Le pouvoir à Pékin ne joue plus la transparence et minimise le danger. Quand on sait que un milliard et demi de poulets vivent dans la seule province du Guangdong, autour de la ville de Canton, le risque est gros. Or le Sras est né dans cette région, ainsi que la grippe aviaire, qui s'est déjà manifestée sept ans auparavant. Les paysans ne sont pas informés du danger. Face au refus permanent du ministère de l'Agriculture de nous accorder une permission de tournage dans les régions touchées par la grippe aviaire, nous tentons une sortie dans la province du Hebei pour voir ce que savent les gens.

À cinquante kilomètres de la capitale commence un autre monde. Nous sommes très bien accueillis chez un paysan qui possède douze poulets et cinq oies. Il a été informé la veille seulement de l'existence de la grippe aviaire en Chine. Il n'a ni télé, ni radio, ni journaux. Le vétérinaire de passage l'a averti du risque et vient vacciner ses volailles. Nous filmons sans problème. L'ambiance simple et bon enfant nous pousse à demander au vétérinaire de le suivre dans sa tournée. Il accepte, mais juge utile d'en informer ses supérieurs, ce qui nous vaut, dans les minutes qui suivent, de voir arriver le secrétaire local du Parti, le chef du village et, bien sûr, la police, qui nous reproche de filmer sans permission et sans être accompagnés. « Mais ça n'est qu'une vaccination de poulets ! » leur dis-je sincèrement et spontanément. Ils ne veulent rien savoir ; notre tournage doit s'arrêter là.

Direction le poste de police : téléphone, vérification d'identité. Deux policiers remplissent à notre place un questionnaire avec les réponses.

— Aviez-vous la permission de faire ce reportage?
Non!
— Reconnaissez-vous avoir filmé les poulets? Oui.
— Reconnaissez-vous que vous avez réalisé un reportage clandestin?
Je tente de négocier sur les termes. Je n'ai pas l'impression d'être clandestin en filmant des volailles dans la campagne autour de Pékin. Le temps passe. Ils n'ont pas confisqué les cassettes. Il reste une chance de monter au moins cette ébauche de reportage. Je signe. Mais nous ne sommes pas libres pour autant.

L'interrogatoire va recommencer avec de nouveaux arrivants : les représentants des Affaires étrangères... Courtois mais fermes. Il faut répéter nos explications. Nous sommes finalement relâchés. Nous aurons perdu deux heures à cause des poulets, mais sans doute gagné l'ouverture de quelques portes. Le lendemain, nous sommes autorisés à filmer les contrôles d'entrée des volailles sur Pékin et un laboratoire de recherche du vaccin contre la grippe aviaire.

La transparence a quand même ses limites. À l'automne 2005, nous sommes informés qu'un foyer de grippe aviaire s'est développé à cinquante kilomètres de Houhehot, la capitale de la province de Mongolie-Intérieure. Les autorisations de tournage sont refusées, mais nous partons quand même avec une petite caméra. Sur place, la zone n'est guère isolée : une tente est grossièrement plantée au croisement qui mène au village avec personnel médical et policiers. Les paysans ont reçu l'ordre d'abattre leurs poulets, mais beaucoup en ont caché chez eux. Images et témoignages : nous opérons rapidement pour ne pas être repérés. Les gens nous disent qu'en réalité, le foyer s'est déclaré une semaine auparavant. Les autorités ont attendu tout ce temps-là pour l'annoncer car le vaisseau spatial *Shenzhou 6*, avec deux « taïkonautes » à bord, s'est posé précisément dans cette région, quelques jours auparavant. Or, des centaines de journalistes parcouraient la zone en guettant son arrivée. Tomber sur un foyer de grippe aviaire aurait fait mauvaise impression, et mieux valait garder le silence.

Une semaine plus tard, les autorités nous invitent à venir constater que le foyer est maîtrisé. Cette fois, le village est bien isolé. Pour y pénétrer, il faut faire passer les roues de la voiture dans un bac de désinfection, mettre une combinaison et des bottes de caoutchouc. Des équipes de nettoyage sont en plein travail et portent même des lunettes spéciales de protection. La ferme incriminée a été nettoyée, les poulets tués. Les habitants ont été regroupés à l'angle d'une rue. Un responsable du voyage de presse nous désigne les personnes autorisées à nous parler et qui tiendront toutes le même discours bien appris : « Sacrifier nos poulets nous est indifférent, car c'est pour le bien de toute la Chine... »

Entre le moment où le foyer d'épidémie s'est déclaré et celui où les autorités ont pris la chose en main, il aura bien fallu attendre une huitaine de jours, et tout cela pour une question de prestige vis-à-vis du monde extérieur. Ainsi fonctionne la Chine, plus de trente ans après Mao, dans sa gestion des épidémies, qui restent encore des secrets d'État et ne doivent en aucun cas nuire à l'image du pays.

14

QUAND LE TIBET S'ÉVEILLERA

Ce qui frappe, au Tibet, c'est d'abord la lumière : claquante, aveuglante, violente, dès qu'on arrive à Lhassa, la capitale, à 3 600 mètres d'altitude. Comme si rien ne filtrait les rayons du soleil. Ici, vous dit-on, on est plus près du ciel. Ensuite il y a le souffle, qui se fait court au moindre effort. Il faut s'acclimater. On n'entre pas ainsi sur cette terre de hauts plateaux, royaume des « Bonnets jaunes », des nomades, des camionneurs longue distance et du yack. Les Chinois supportent l'altitude plus difficilement que nous, et il n'est pas rare d'en croiser avec une bouteille d'oxygène sous le bras qui va leur donner un nouveau souffle.

Le Tibet était pour moi un vieux rêve, comme pour des milliers de jeunes qui aiment la montagne et ses populations. J'avais lu les récits de l'alpiniste autrichien Heinrich Harrer, sa fuite désespérée vers Lhassa après son évasion du camp de Dehra Dun, en Inde, et ses *Sept ans d'aventures au Tibet* aux côtés du dalaï-lama. J'avais suivi les aventures du père Évariste Huc, qui parvint à Lhassa après des mois d'efforts en 1846, pour finalement se faire expulser du Tibet par le représentant de la Chine, ou celles d'Alexandra David-Néel, habillée en Tibétaine et fréquentant mystiques et magiciens sur son chemin vers la ville sainte.

Pourquoi sommes-nous autant fascinés par le Tibet ? Les surnoms donnés à ce pays font déjà rêver : « le Toit du monde », « le pays des neiges », « le pays interdit », « le pays oublié ». Sur ces hauts plateaux, l'air est pur et notre imagination veut que les gens le soient aussi. Tout voyage vers ces hauteurs ou dans ces villages perchés entre 4 000 et 5 000 mètres, parmi des milliers de monastères en prière, ne peut être que purificateur. Aller vers le Tibet, c'est élever son corps et son âme, s'échapper des problèmes quotidiens engendrés par notre civilisation matérialiste.

La violence avec laquelle l'armée chinoise est entrée dans ce pays, en 1950, alors qu'il avait réussi à instaurer une vague indépendance de quarante ans, nous rend aussi solidaires de son peuple et nous rapproche de son destin. D'où cette extrême sensibilité qui existe en France sur tout ce qui touche au problème tibétain.

Mille cinq cents communes d'Europe ont hissé le drapeau du Tibet au soleil d'or représentant le bonheur spirituel sur le toit de leurs mairies. La plus symbolique est, sans doute, celle de Briançon, dans les Hautes-Alpes, avec cette inscription sans nuance gravée sur la façade :

« Soucieux de liberté et de justice, le conseil municipal de Briançon a décidé à l'unanimité, le 8 septembre 2000, de laisser flotter le drapeau tibétain sur le mât des couleurs de la mairie jusqu'au retour de la paix et de l'indépendance du Tibet, qui est envahi par la Chine depuis 1950. » Il risque d'y flotter longtemps... La région Ile-de-France a décidé, de son côté, de hisser le drapeau tibétain sur ses bâtiments à chaque anniversaire du soulèvement tibétain du 10 mars 1959.

C'est dire la mobilisation pour la cause tibétaine en Europe, et surtout en France où le premier groupe parlementaire de l'Assemblée nationale est celui de défense du Tibet, créé en 1990. Il compte aujourd'hui plus d'une centaine de députés, autant que le groupe d'amitié franco-chinoise.

Lhassa ville chinoise

Pas facile d'entrer au Tibet quand on est journaliste. Il faut faire les demandes plusieurs mois à l'avance, trouver un thème qui ne déplaise pas aux autorités, payer un guide officiel dont les tarifs dissuadent souvent les meilleures volontés.

Dès le début de mon séjour en Chine, je veux à tout prix trouver une occasion de me rendre sur le « Toit du monde ». Le correspondant de la télévision allemande cherche à me décourager. Voilà cinq ans qu'il vit en Chine, et il n'a jamais réussi à obtenir l'autorisation de se rendre au Tibet. Finalement, l'occasion va se présenter trois mois seulement après mon arrivée. La Fédération française de la montagne a lancé un projet de coopération avec le Tibet : la création d'une école de guides. Les Tibétains ne sont pas très portés sur l'alpinisme. Ils ne grimpent pas les sommets car ils restent sacrés pour eux, même si les autorités chinoises ont balayé d'un trait de plume ces interdictions qui relèvent à leurs yeux de la superstition. Résultat, ce sont des guides népalais qui viennent au Tibet avec des clients étrangers pour gravir les montagnes. Les Tibétains se contentent de garder les troupeaux.

L'idée d'une école tibétaine de haute montagne est généreuse. Le guide français Serge Koenig, un habitué du « pays des neiges » depuis une bonne vingtaine d'années, est chargé de la formation des jeunes aspirants, avec Nima, un Tibétain qui a réussi. Nima possède même un magasin de sport face au Potala, et son affaire marche plutôt bien. Il était bouddhiste et s'est converti à la religion chrétienne. Il n'accepte pas

183

d'expliquer sa démarche spirituelle mais souvent, en Chine ou au Tibet, se convertir est une manière d'approcher l'Occident et de mieux se faire accepter.

Les associations de défense du Tibet en France qualifient de « collaborateurs » les Tibétains qui font des affaires avec les Chinois. Or il s'est développé au Tibet une classe moyenne qui veut gagner de l'argent et, pour cela, elle a besoin des Chinois. Le dalaï-lama reconnaît lui-même que les Tibétains doivent s'inspirer du savoir-faire et des connaissances de la Chine, mais il faut que le Tibet puisse bénéficier d'une véritable autonomie à défaut d'indépendance.

Avec Serge et Nima, nous allons participer à la première expédition de l'école des guides de Lhassa : l'ascension de la montagne de la Grande-Déesse, à cent kilomètres de la ville sainte et à 6 000 mètres d'altitude. La plupart de ces aspirants guides viennent de la région de Tingri, dans les environs de l'Everest. Ils n'ont jamais réellement grimpé les montagnes, mais nous avouent qu'ils en ont toujours rêvé quand ils gardaient les troupeaux avec leur famille. Ils sont fiers de se lancer dans pareille aventure.

Nous les suivons à l'école d'escalade qui se trouve aux portes de Lhassa. Ils ont envie d'en découdre avec la montagne. Le décor est pourtant sinistre ; la paroi est froide. Cent mètres plus haut, des oiseaux de proie tournent autour des terrasses où l'on découpe les corps des personnes décédées. D'un coup de bec, ils capturent les morceaux pour les emporter vers le ciel, comme le veut la tradition des funérailles célestes pratiquée au Tibet. Quand on regarde en bas, on peut voir facilement la célèbre prison de Drapchi, où croupissent encore ceux qui ont osé élever la voix en faveur d'un Tibet libre, notamment des moines, ou se réclamer de l'autorité du dalaï-lama.

Mon objectif, dans ce reportage, consiste notamment à montrer ce que représente la montagne pour les Tibétains : à la fois une ressource de vie et un lieu immense de spiritualité. Nous sommes accompagnés par une jeune Tibétaine du ministère des Affaires étrangères qui a négocié pour nous les autorisations de tournage. Elle paraît éduquée, cultivée, mais complètement novice pour surveiller des journalistes étrangers. Elle nous laisse faire des interviews avec les pèlerins du Jokhang, qui ne peuvent s'empêcher de nous confier leur attachement au dalaï-lama. En revanche, le chauffeur semble être un vieux militant du Parti qui voit clairement notre jeu et nous mettra des bâtons dans les roues.

Lhassa est devenue une ville chinoise. Même le pouvoir reconnaît que les Han, les Chinois d'origine, représentent plus de la moitié des deux cent cinquante mille habitants. La capitale du Tibet pourrait ressembler à n'importe quelle ville de Chine avec ses artères taillées au bulldozer, ses publicités pour les voitures ou les téléphones portables, s'il n'existait encore deux édifices rappelant son caractère sacré : le palais du Potala, autrefois siège du gouvernement tibétain et ancienne résidence des dalaï-lamas, et le temple sacré du Jokhang. Le Potala, classé au patrimoine de l'Unesco, domine aujourd'hui une esplanade rasée, transformée en place nationale pour les cérémonies officielles et les défilés de l'Armée populaire. Un avion de chasse est même posé sur ce décor afin de rappeler que l'armée chinoise est intervenue à Lhassa en 1950, officiellement pour « libérer » le Tibet, et qu'aujourd'hui elle fait toujours la loi.

Cela n'empêche pas les pèlerins tibétains de se prosterner en passant devant le palais, comme si « l'océan de sagesse » habitait encore là. Signe des temps : ils posent souvent leur téléphone portable à côté du moulin à prières et s'allongent sur le sol de toute la longueur de leur corps pour se recueillir.

Porter sur soi un médaillon ou une photo du dalaï-lama reste interdit, mais les pèlerins s'en moquent et dissimulent souvent sous leur chemise le visage éclairé de leur chef spirituel. J'ai même vu des Chinois sans scrupules tenter de vendre discrètement aux Tibétains quelques images pieuses de « l'Océan de sagesse ».

Le temple du Jokhang attire encore des milliers de pèlerins qui ont souvent marché pendant des mois pour arriver jusque-là, en se prosternant à chaque pas de toute la longueur de leur corps, avec des semelles de bois dans les mains, des tabliers et des genouillères de cuir pour ne pas s'écorcher la peau. Ils ont bravé le froid, la faim, la soif, l'altitude, les camions. Ils vous disent qu'ils ont fait ça pour obtenir des mérites et le bien-être dans une vie future. Les passants leur donnent quelques billets, une façon comme une autre de participer à leur souffrance et de s'acheter à bas prix le pardon de leurs péchés.

Le Barkhor, le chemin du pèlerinage, serpente au milieu d'un quartier tibétain rénové où se bousculent les marchands du temple. Il est surtout parcouru par une police qui veille à l'ordre social et regarde les moines avec suspicion. Difficile de dire s'il y a plus de pèlerins qu'avant, mais l'âge moyen semble dépasser la quarantaine. Peu de jeunes Tibétains en prières ; sans doute le régime a-t-il réussi à les lasser. Notre présence passe plutôt inaperçue car de plus en plus d'étrangers viennent à Lhassa, autant de témoins potentiels qui gênent le régime dans sa politique de répression.

À travers le « Tibet historique »

Il faut voir le Tibet au-delà de la « région autonome », qui n'est finalement qu'une entité politico-administrative totalement artificielle, créée par le pouvoir chinois.

Le vrai Tibet représente le double de la superficie de l'actuelle province qui porte ce nom. Le Tibet dit « historique » couvre presque le quart de la Chine, mais on imaginait mal les autorités de Pékin accepter une carte du territoire où le Tibet aurait occupé une telle place... Alors le pays des neiges se trouve réduit à sa portion congrue. Dans les régions périphériques comme celles du Kham et de l'Amdo, la vie tibétaine continue. Elle y affronte le choc du développement apporté par les Han : villes bâties à la hâte, nées de l'arrivée des colons dans des zones déshéritées à des altitudes à vous couper le souffle.

Ces régions étaient interdites aux étrangers il y a encore quelques années. Les populations étaient accusées d'avoir collaboré avec le régime de Chiang Kaishek et fait de la résistance à l'installation de l'Armée populaire de libération.

Aujourd'hui, on entre sans problème sur le territoire des Golok, même si ces nomades tibétains sont plutôt fermés sur eux-mêmes. *Golok* signifie « celui qui a la tête à l'envers »... Avec eux, le dialogue est donc limité : ils parlent à peine quelques mots de chinois. Les mauvaises langues disent qu'ils ne parlent pas non plus le tibétain.

Les Golok contestent toute autorité autre que la leur et ne reconnaissent même pas, dit-on, celle du dalaï-lama, né pourtant à quelques journées de cheval de chez eux, dans le village de Hongya. Sur les marchés, dans les villages ou les campements, on croise quand même quelques cavaliers portant discrètement sous leur chemise un médaillon à l'effigie de Sa Sainteté Tenzin Gyatso, quatorzième dalaï-lama et « océan de sagesse ».

La ville de Maqen fait partie de ces villes nouvelles qui rappellent la conquête de l'Ouest : à 4 000 mètres d'altitude, une seule rue large, tracée au cordeau, et des boutiques alignées. Ambiance Far-West : des Tibétains à cheval attachent leurs montures à la barrière avant d'entrer à la Banque de Chine... Le supermarché est carrément tenu par les militaires chinois, l'armée étant le plus gros consommateur de la région... Les clients sont en kaki, la caissière aussi. La population han de la ville est plus importante que la population tibétaine, mais elle apporte un certain dynamisme à l'économie et tout le monde en profite.

Les Tibétains n'abandonneront pas facilement cet endroit : nous sommes à deux heures de piste seulement de la seconde montagne sacrée tibétaine après le mont Kailash : l'Amnye Maqen qui dépasse les 6 000 mètres. Il faut une semaine pour en faire le tour à pied à partir de ce lieu vénéré baptisé « Chorten Karpo », au carrefour de trois vallées.

L'endroit est sinistre car la population procède ici encore aux funérailles célestes, l'un des moyens les plus utilisés pour faire passer les hommes dans le royaume des morts selon le rite bouddhiste tibétain et pratiqué surtout dans les régions où il n'y a pas de bois pour brûler les corps. Des hommes, qualifiés de sages et surnommés les *topden*, y découpent les membres des défunts et les préparent pour les livrer aux oiseaux de proie qui survolent les rochers en permanence. Peu de pèlerins empruntent finalement ce parcours. Pas un seul touriste chinois non plus ; la région est trop rude. Des entreprises chinoises ont bien commencé d'améliorer la piste d'accès, mais les Tibétains ne veulent pas travailler sur ce chantier. Ils disent que l'endroit est sacré. Ils préfèrent garder leurs troupeaux de yacks sur les terres situées au-delà des villes nouvelles : là est leur liberté. De même, les maisons que les autorités ont fait construire pour fixer les nomades sont pratiquement vides ; un tel mode de vie ne correspond pas aux aspirations des Tibétains, toujours ivres de grands espaces.

À bord du train du « Toit du monde »

Un élément est venu briser un peu plus l'isolement de ce Tibet qui, pour les Chinois, fait partie de la « conquête de l'Ouest » : l'inauguration du chemin de fer de Lhassa, qui, en quarante-huit heures, conduit le voyageur de Pékin à la capitale du Tibet ; un trait d'union économique et politique essentiel dans la nouvelle Chine.

Voilà des mois qu'on attendait le départ de ce « train de l'unité » qui devait, une nouvelle fois, propulser le pays dans le peloton de tête des nations les plus en pointe en matière de technologie des transports. Cinq ans de travaux, mais jamais nous n'avions pu visiter le chantier. Les mauvaises langues disaient que les Chinois ne laissaient pas approcher les journalistes car des prisonniers participaient à la construction de la voie : information sans doute exacte. En tout cas, la compagnie n'a reconnu aucun accident du travail et aucune victime du froid pendant ces cinq années de chantier, ce qui est trop beau pour être vrai.

Toutes nos demandes pour filmer le premier train au départ de Golmud ont été refusées ainsi que pour l'arrivée à Lhassa, où il faut un permis spécial pour pénétrer dans la région autonome. À quelques jours du lancement de ce train le plus haut du monde, le ministère des Affaires étrangères nous propose un voyage de presse dans le second convoi. Cent soixante journalistes s'inscrivent, mais il n'y a que quarante places. Nous avons la chance de voir nos noms figurer sur la liste des élus sans trop savoir comment nous avons été sélectionnés.

Le vrai voyage commence en fait à Golmud, à deux mille kilomètres de Pékin. Le tapis rouge immense qui a permis à Hu Jintao et aux délégués du Parti et de l'armée de ne pas mettre de poussière sur leurs chaussures vernies pour l'inauguration du premier train de Lhassa est toujours là. La gare a été repeinte. Seule l'apparition de deux Tibétaines en costume, sur le quai, nous laisse penser que le « pays des neiges » n'est pas loin. La montée vers les hauts plateaux est poussive mais belle au lever du soleil : terre brûlée, sèche et désertique même à trois mille mètres. Nous sommes quarante journalistes dans un seul wagon en classe dite « dure » avec, en plus, des caisses de matériel de télévision, des caméras et des appareils de montage ou de diffusion. L'espace est étroit. On se dispute les quelques prises de courant pour alimenter les batteries des appareils. Les fenêtres sont hermétiquement fermées. Seule une petite lucarne nous permet de passer à l'extérieur une caméra d'amateur pour éviter de filmer à travers les vitres teintées.

À 4 000 mètres d'altitude, nous abordons les *grassland*, les bonnes herbes bien fournies pour les yacks. Le train ne peut pas dépasser les 100 km/h à cause de l'instabilité du ballast. Ici la terre gèle et dégèle, ce qui fait travailler les rails. Les Chinois ont donc trouvé un système ingénieux, avec des tubes métalliques qui renvoient vers la surface du sol la température glaciale de la terre et empêchent le dégel.

À 4 500 mètres d'altitude, un employé fait une démonstration avec les tuyaux à oxygène qu'il faut s'enfiler dans le nez si on a du mal à respirer. Toutes les fenêtres sont verrouillées car, dans le même temps, un système de ventilation à oxygène entre en action.

Le comportement des passagers a changé. Ceux qui jouaient aux cartes sont affalés sur les banquettes. Une mère de famille se sent mal et tente d'imposer à sa fillette d'enfiler les tubes en plastique dans ses narines. Il y a là une vingtaine de techniciens en informatique qui ont réussi à décrocher un billet pour Lhassa accordé par leur unité de travail, quelques familles chinoises qui tentent l'aventure touristique, un étudiant qui part pour la capitale tibétaine enseigner l'anglais, une retraitée qui veut s'offrir le frisson du Toit du monde avant le grand bond en avant vers l'éternité et un seul touriste étranger, un ingénieur français, fier de ne pas éprouver le besoin d'une assistance respiratoire. Les haut-parleurs diffusent en boucle des informations sur les performances de ce chemin de fer : trente et une gares, onze tunnels, près d'un million de passagers par an.

Je m'attendais à voir le train monter en lacet sur des pentes abruptes, comme pour la route sinueuse de l'est qui va de Chengdu à Lhassa et grimpe à 5 000 mètres d'altitude en une dizaine de kilomètres. En réalité, la pente est longue et faible, les montagnes ne semblent être que des grandes collines : déception aussi par rapport au versant népalais du Tibet. J'ai plutôt l'impression d'être dans le Massif central, mais à l'altitude du mont Blanc avec un peu de neige sur les sommets... Parfois, nous longeons la route, parcourue par des colonnes de camions militaires vides... À la frontière de la région autonome du Tibet, un soldat en manteau kaki à fourrure est positionné tous les cinq cents mètres le long de la voie, pendant des centaines de kilomètres, tournant le dos au train et regardant les grands espaces. De quoi ont-ils peur ? Il n'y a, sur cette terre de ciels, que des familles de nomades sous la tente qui nous font de grands gestes de la main et des ouvriers qui dorment sous des bâches.

Au col de Tanggula, le train atteint son altitude maximale : 5 069 mètres. Une trentaine de soldats sont sur le quai, mais le train de Lhassa ne s'arrêtera que plus bas. En gare de Nagqu, cinquante kilomètres plus loin, les Tibétains masquent leurs sentiments derrière un large sourire qui déchire leur visage sculpté par le vent, gênés par notre curiosité et nos questions à la fois banales et bouleversantes : « Ça vous plaît qu'il y ait un train pour Lhassa ? »

Nous n'aurons pas la vraie réponse. Comme d'habitude, dès qu'il s'agit du Tibet, la polémique a repris. Ce train, dit-on, va détruire l'écosystème, effrayer les antilopes, polluer les hauts plateaux, transporter des milliers de colons et de soldats qui vont opprimer un peu plus les populations locales et bouleverser une nouvelle fois la culture tibétaine. Sans doute y a-t-il de ça, mais on ne peut guère s'opposer à la construction d'un train dans une zone grande comme trois fois la France. Il transportera aussi des familles tibétaines et des marchandises. Si ce train n'avait pas été construit, sans doute aurait-on dit : « Regardez, la Chine laisse le Tibet dans le sous-développement ! »

À mesure que nous approchons de Lhassa, la région devient plus peuplée : les villages tibétains arborent le drapeau chinois sur toutes les maisons... La Chine vient de fêter le 85e anniversaire de la naissance du Parti communiste. On l'avait oublié. Ces gens ont-ils mis avec enthousiasme le drapeau rouge sur leurs terrasses ? On peut en douter.

L'arrivée sur Lhassa a quelque chose de décevant. La publicité sur les murs de Pékin présentait le train du Toit du monde passant au pied du Potala. Il n'en est rien. La gare se trouve à vingt kilomètres de la ville. Le seul paysage qui nous est offert avant le terminus est celui de la gare de marchandises. La ville sainte a perdu de sa superbe.

Le Tibet devient ainsi l'objet d'une course au développement qui entraînera un nivellement culturel et permettra au pouvoir chinois de mieux gérer cette province rebelle, comme toutes les régions où vivent les minorités nationales. Mais, avec ce train, les Chinois ont aussi une autre ambition : ils entendent bien poursuivre un jour la ligne de chemin de fer jusqu'à Delhi, la capitale indienne.

Des moines et des couteaux

Le feu couvait sous la neige pour l'anniversaire du soulèvement de 1959 qui avait entraîné l'exode du dalaï-lama vers l'Inde. Mais, en ce 10 mars 2008, il n'y avait guère que des touristes à Lhassa et très peu de journalistes. Des voyageurs courageux, avec leurs caméras d'amateurs, nous serviront pourtant de témoins. Ils ont vu les monastères fermés, les centaines de moines descendre vers la ville, ils ont pris des photos ou des films de la terrasse de leur hôtel et observé la police tenter de disperser les manifestants. Tous m'ont affirmé qu'ils n'avaient eu aucun problème avec les émeutiers tibétains, qui s'en prenaient essentiellement aux Chinois et pas aux étrangers. « Vous savez, en Asie, me dit M. Pham, un retraité français d'origine vietnamienne, même quand il ne se passe rien, on sent que ça va exploser. Et ce fut le cas... » Les moines scandaient des slogans favorables au dalaï-lama, appelant à la libération du Tibet. Ils brandissaient le drapeau tibétain, interdit par les autorités chinoises. Un geste très dangereux : pour avoir arboré cet emblème, des religieux croupissent encore dans les prisons du Tibet... Puis les rues se sont vidées. Les commerçants chinois ont pris peur et fermé boutique.

Devant le temple sacré du Jokhang, la violence a éclaté d'un coup. Les jeunes Tibétains étaient prêts pour l'émeute. Au début, ils se contentaient d'encourager les moines, mais, ensuite, ils sont entrés en action et les manifestations ont pris une autre tournure. Ils étaient armés de pierres, de couteaux et de machettes.

Un touriste canadien nous a raconté ce qu'il a pu voir avant de se replier sur son hôtel.

« De jeunes Tibétains ont mis le feu aux boutiques des Chinois et jeté des pierres sur les passants. Les Chinois qui arrivaient dans la rue à moto étaient systématiquement arrêtés et lynchés, lapidés, leur engin brûlé au milieu de la rue. Ils ont attaqué les symboles de la Chine comme les banques ou les commerces. Les Tibétains disaient que les Chinois étaient venus au Tibet pour détruire la culture tibétaine et imposer leur mode de vie... Ils frappaient tous les Han qui leur tombaient sous la main. Les jeunes agissaient et les vieux les encourageaient... À un moment, ils ont attaqué un vieux Chinois qui passait à vélo. Ils l'ont frappé très violemment à la tête avec des pierres. Mais, cette fois, de vieux Tibétains sont intervenus pour les arrêter. »

Même les moines ont pris part à ce saccage. Les premiers documents qui me parviennent sont des photos de pieux bouddhistes en robe safran, brandissant des drapeaux tibétains interdits, puis je reçois par Internet l'image très symbolique d'une voiture brûlée renversée devant le temple du Jokhang. Je ne pensais pas que de tels clichés pourraient sortir de Lhassa et parvenir au monde extérieur. Nous devons ce premier témoignage à un photographe anonyme. Durant les émeutes de 1989, au Tibet, il avait fallu attendre plusieurs jours avant de recevoir enfin quelques minutes d'un film vidéo tourné clandestinement par un moine dans un monastère où la police menait une opération musclée. La télévision chinoise n'avait montré aucun document sur les écrans, tant le contrôle de l'information était serré.

Cette fois, la télévision centrale va diffuser dans tout le pays une séquence de casseurs en action contre des rideaux de fer de commerçants chinois. C'est une première. J'ai d'abord l'impression que ces manifestations sont conduites par des provocateurs ou que ces images sont truquées. Je ne parviens pas à croire que ces hommes, si pacifiques quand on les rencontre dans leurs monastères, peuvent briser ainsi les boutiques des Chinois ou les devantures des succursales de la Banque de Chine à Lhassa. Mais la réalité est bien là. Les moines ont été très actifs dans ces émeutes, et les films des touristes me le confirmeront.

Le récit de ces étrangers pris dans la tourmente de Lhassa donne bien l'état d'esprit dans lequel se trouvaient les Tibétains en cet anniversaire du soulèvement de 1959 et à cinq mois des cérémonies d'ouverture des Jeux olympiques. Un voyageur français raconte, par exemple, sa conversation avec un groupe de femmes qui encourageaient les émeutiers.

« Ce n'est pas dans notre culture d'être violents mais nous n'avons pas le choix, disaient-elles. Il faut soutenir les moines car ils sont les seuls à archiver tout ce qui concerne la culture du peuple tibétain. En détruisant les temples et en assassinant ou en empoisonnant les moines, les Chinois nous détruisent. Ils ont saccagé plus de mille monastères pendant la révolution culturelle, leur contenu a été pillé et emporté hors du Tibet... »

Les Tibétains ont raconté aux touristes que lorsque le dalaï-lama a été décoré par le Congrès américain, quelques mois auparavant, ils n'ont pas eu le droit de porter leur costume traditionnel, car ce geste était interprété comme un hommage au guide spirituel, honni par le pouvoir chinois. À cette occasion, des gens ont peint sur les murs le drapeau tibétain mais ils ont été arrêtés.

Le comportement des forces de l'ordre nous éclaire aussi sur l'état d'esprit des unités chargées de la répression. La police, composée de Han et de Tibétains, s'est apparemment abstenue de tout recours excessif à la force dans un premier temps. À quelques mois des Jeux olympiques et alors que la ville de Lhassa était parcourue par des milliers de touristes étrangers débarqués avec l'arrivée des beaux jours, il était exclu de déclencher d'emblée une vaste opération de police. Les Tibétains en ont sans doute profité. Ensuite, les unités antiémeutes, composées essentiellement de Han, sont entrées en action, chassant par la même occasion les touristes qui se trouvaient là et nous privant de témoins privilégiés pour la suite des événements.

Cette flambée de violence met surtout en lumière la frustration des Tibétains. Les Chinois vantent les performances de la région autonome en disant que son développement est l'un des plus forts de Chine : plus de 12 % de croissance, autrement dit un chiffre plus élevé que la moyenne chinoise. Mais les Tibétains n'en profitent guère. Ils ne sont pas invités à participer au progrès économique du Tibet. Les emplois, disent-ils, sont d'abord pour les Han. Les Tibétains ont donc le sentiment d'être des citoyens de seconde zone. « Tout l'argent, déplorent-ils, est contrôlé par des gens venus de l'extérieur et les Chinois dominent toutes les activités économiques », faisant allusion aux Han, qui sont de plus en plus nombreux à s'installer dans la région autonome. Les Chinois vivant au Tibet et les Tibétains qui collaborent avec eux ont un niveau de vie acceptable mais, pour les autres, il reste faible. Il existe à présent un sous-prolétariat des villes et des campagnes qui n'a plus grand-chose à perdre, et cette classe de la société a pu alimenter les rangs des émeutiers.

Sans doute faut-il aussi compter avec la religion, qui guide encore une bonne partie de l'existence des Tibétains. Même si le développement du bouddhisme tibétain est quelque peu freiné et contrôlé, ils vivent dans un monde à part, fait de prières et de cérémonies religieuses alors que les Han viennent au Tibet pour faire des affaires. Le comportement des Tibétains agace souvent les Chinois, qui se moquent de la philosophie, de la culture et du comportement des populations du pays des neiges.

Le pouvoir chinois avait-il quelque chose à cacher? Le Tibet s'est refermé sur lui-même après ces événements. Les étrangers ont été conduits vers la sortie et les quelques journalistes étrangers, priés de reprendre le train ou l'avion pour Pékin. Même les reporters chinois de la presse de Hong Kong ont dû quitter la région autonome du Tibet. Le pouvoir communiste ne leur fait pas non plus confiance. Dans les provinces frontalières où de fortes minorités tibétaines cohabitent avec les Han, la police et l'armée ont bouclé les quartiers tibétains et les monastères. Quelques mois avant les Jeux olympiques de Pékin, une chape de plomb s'était abattue sur le Tibet, alors que le gouvernement chinois avait promis qu'il en ouvrirait les portes.

15

Minorités en sursis

On les entend rire et crier depuis la route. Les hommes, en tenue noir et gris, très sobre, ont installé des planches sur la rivière ou sur les galets mouillés pour y exposer leurs marchandises de toutes sortes : bijoux de ferraille clinquants, textiles brodés et teintés de rose ou de bleu brillant, peignes de toutes les dimensions, jouets et outils chinois. Les filles ont lissé leurs cheveux et passé des heures à les laver, les soigner, les nouer adroitement en chignons impressionnants, accrochés à des cornes de bois posées sur leur tête. C'est un grand jour dans le village de Foulou, au fin fond de la province du Guangxi, où vivent les minorités dong et miao.

La fête des amours, le Sanyuesan, a lieu une fois par an, le troisième jour du troisième mois lunaire. Elle marque le jour du suicide de deux amoureux qui ont préféré rester unis dans la mort plutôt que d'accepter le mariage arrangé que voulaient leur imposer les parents de la jeune fille. À cette occasion, des milliers de jeunes gens descendent tôt le matin des villages alentour pour danser, se montrer, chercher l'âme sœur et, occasionnellement, faire le marché. Les anciens sont là aussi, pipe de bois ou de métal en bouche, regardant les scènes de rencontre et de joie. Pour animer la fête, les *lusheng*, ces orgues à bouche en bambou de deux mètres de hauteur où s'époumonent de jeunes talents d'un jour, résonnent dans la vallée et appellent hommes et femmes à se retrouver le long de la rivière.

Certains sont venus en barque, d'autres à pied par la montagne, apportant même avec eux quelques meubles à vendre et du bétail à échanger. Chez les Dong, le Sanyuesan, c'est la fête de la vie. Deux millions de personnes se réclament de cette ethnie, fascinante par son culte de l'arbre, et particulièrement du sapin. Lorsque l'enfant paraît, les parents plantent une pousse de sapin en l'honneur du bébé. Quand il aura dix-huit ans, l'arbre sera abattu pour lui construire sa maison. Au pays Dong, tout est de bois : les maisons comme les infrastructures, mais la brique et le carrelage, inspirés de l'architecture chinoise à bon marché qui recouvrent les maisons modernes, commencent à gagner du terrain.

La « folklorisation » des minorités

La minorité Miao qui peuple le sud de la Chine vit aussi au rythme de ces fêtes et de ces traditions. Elle compte plus de neuf millions d'âmes. On les retrouve au Laos et au Vietnam (les Hmong), où leur soutien au colonialisme français et aux Américains, durant les guerres d'Indochine puis du Vietnam, leur a valu longtemps d'être pourchassés et maltraités par les régimes communistes. Ils sont vingt millions dans le Sud-Est asiatique, dont neuf millions en Chine. Les Miao de Chine font partie des minorités qui ont donné le plus de fil à retordre aux armées chinoises. Avec les siècles, ils ont été refoulés vers le sud et, finalement, mis au pas à l'époque de la dynastie des Qing au XIXe siècle.

L'instauration de la République populaire de Mao a bouleversé la vie de ces populations ; leurs villages ont été transformés en coopératives paysannes. Les gardes rouges ont voulu détruire leur patrimoine culturel comme les « tours du tambour » qui dominaient tous les villages chez la minorité Dong, ou les « ponts du vent et de la pluie » enjambant les rivières. Certains de ces ouvrages, réalisés uniquement en bois, sans aucun clou, comme le veut la tradition, ont pu survivre à la violence de l'histoire et aux incendies. Aujourd'hui, les autorités les protègent et les restaurent car de telles œuvres deviennent un pôle d'attraction pour les touristes chinois qui commencent à envahir ces régions.

Les Dong et les Miao appartiennent aux cinquante-cinq minorités nationales qui peuplent la Chine. À ce titre, le pouvoir chinois leur accorde le droit à la différence, culturelle d'abord. Les autorités reconnaissent l'authenticité de leurs vêtements, leur mode de vie, leur religion, que tout citoyen est tenu de respecter.

Mais, dans la réalité, on assiste à une « folklorisation » des minorités. On leur laisse leur costume et leurs instruments de musique qui attirent les touristes, mais leurs traditions s'effacent peu à peu face au nivellement imposé par le système chinois. Ces minorités sont pourtant représentées à l'Assemblée populaire, le parlement chinois. On les voit chaque année arriver dans leurs costumes de toutes les couleurs et monter les marches de ce palais stalinien de la place Tiananmen, à Pékin. Elles viennent faire entendre leurs voix et surtout celles de ces populations souvent délaissées.

Le statut de minorité signifie que les couples peuvent avoir deux enfants, mais les familles Miao ou Dong sont bien plus nombreuses et défient constamment l'autorité du planning familial. Résultat : tous ces enfants ne peuvent aller à l'école et viennent eux aussi grossir les rangs des « enfants de l'ombre » que l'on ne déclare pas et qu'il faut cacher.

Les Miao sont l'une des minorités les plus touchées par la misère. Deux millions de personnes ne mangent pas à leur faim dans la seule province du Guizhou. Pour le reste, elles profitent plus ou moins du décollage économique de la Chine. Des routes ont été construites, l'électricité arrive dans les villages, les excréments d'animaux sont recyclés pour fabriquer de l'énergie et des relais ont été installés dans les endroits les plus reculés pour faire fonctionner les téléphones portables. La plupart des habitants possèdent la télévision. Par l'intermédiaire du petit écran, ils essayent d'apprendre à parler le mandarin, ce qui va les intégrer un peu plus dans le moule chinois.

Quel intérêt peut avoir le pouvoir central à développer la culture des minorités, en dehors de la couleur qu'elles donnent au paysage ? Sans doute aucun. La défense de leur identité est un facteur de troubles.

Le mot qui effraie le plus le pouvoir communiste chinois, c'est « séparatisme ». Les dirigeants le ressortent à chaque fois qu'ils veulent diaboliser une secte, une région, voire même un peuple. Qu'une seule de ces minorités se mette à proclamer ce qui ressemblerait à une indépendance et c'est le feu aux poudres dans toute la Chine. Il faut donc effacer toute différence avec les autres ethnies et bien sûr avec l'ethnie majoritaire, celle des Han.

La langue comme défense de l'identité

À Pékin, il existe un Institut des minorités, où l'élite de ces populations apprend la gestion des affaires de l'État à la mode pékinoise, afin que la méthode soit appliquée partout dans les régions les plus reculées. Les élèves étudient même les langues exotiques de Chine, dont une bonne partie sont essentiellement orales et qui sont donc appelées à disparaître à court terme.

Face à la tentative d'étouffement de ces cultures, la langue tibétaine tient encore le choc, grâce notamment aux cent cinquante mille réfugiés qui ont fui vers l'Inde et le Népal et entendent protéger leur civilisation au-delà des frontières de la Chine. Mais, dans la province du Tibet elle-même, l'enseignement de la langue n'est guère encouragé.

J'ai pu suivre une journée de la vie des étudiants de l'école tibétaine de Pékin. Dans un bâtiment austère et quelque peu stalinien, trois cents jeunes garçons et filles viennent apprendre la vie politique et économique de la Chine. Ils restent là pendant trois années et ne retournent chez eux qu'une fois par an, pour le nouvel an tibétain. Ils représentent l'élite de la province autonome du Tibet, sélectionnée sur des critères de connaissance, mais aussi de fidélité à la ligne du Parti. Ils symbolisent les futurs cadres de demain qui seront chargés d'appliquer dans leur province lointaine l'enseignement qu'ils ont reçu dans la capitale. Un élément essentiel pour le pouvoir communiste.

La langue tibétaine y est enseignée trois heures par semaine, car le pouvoir sait qu'il a besoin de gens parlant le tibétain pour faire passer ses directives chez le peuple des hauts plateaux. Les étudiants se plaignent qu'on n'accorde pas assez d'importance à leur langue. Ils passent, en revanche, cinq heures par semaine à étudier le mandarin. Ils redoutent qu'un jour en Chine, le tibétain ne devienne un simple objet de recherche d'histoire, classé dans les bibliothèques et dans les universités.

Une bonne partie des réfugiés tibétains qui passent clandestinement en Inde sont des enfants qui vont poursuivre leurs études de l'autre côté de l'Himalaya et contribueront à la survie de la langue tibétaine. Ils quittent surtout la Chine car l'enseignement devient trop cher pour leur famille. On ne peut les qualifier de réfugiés politiques, mais pour trouver un enseignement meilleur, ils vont marcher pendant une semaine au risque de leur vie, passer des cols à plus de 5 000 mètres comme celui de Nangpa La où l'armée chinoise les guette pour les arrêter ou les refouler.

Aujourd'hui, la Chine et le Népal autorisent les randonneurs à se rendre sur ce col, et ils deviennent les témoins de l'exaction des militaires chinois contre les colonnes de réfugiés tibétains, comme ce fut le cas en septembre 2006. Des touristes roumains ont pu filmer des soldats chinois prenant pour cible un groupe de Tibétains qui voulaient franchir la frontière. L'un d'eux a été tué, les autres arrêtés.

À Dharamsala, en Inde, où s'est réfugié le dalaï-lama en 1959, ces réfugiés continuent d'entretenir leurs connaissances de la culture tibétaine et, plus tard, ils espèrent revenir dans cette province de Chine où se trouvent leurs racines.

Le dalaï-lama sera toujours dans le collimateur du pouvoir chinois malgré ses déclarations apaisantes où il renonce à l'indépendance du Tibet et reconnaît que son peuple a besoin de la technologie qu'apportent les Chinois. Pour Pékin, « l'océan de sagesse » reste un dangereux séparatiste. Le régime entretient cette image dans la presse, et le dalaï-lama n'est pas respecté dans la population chinoise. Quand les amis chinois me demandent ce que j'en pense, je leur dis que la philosophie du dalaï-lama survivra sans doute à celle du secrétaire général du Parti communiste Hu Jintao. La population a du mal à imaginer que l'enseignement de cet homme, rejeté par le pouvoir chinois, est suivi en Europe par des dizaines de milliers d'adeptes.

Le vent pourrait tourner si le dalaï-lama venait à disparaître. Le parlement tibétain, en exil en Inde, a élu aujourd'hui, parmi ses quarante-six membres, des éléments beaucoup plus radicaux qui pourraient être moins tolérants avec le pouvoir chinois.

La phobie du séparatisme

La minorité nationale dont le régime a le plus à craindre est sans doute celle des musulmans ouïghours, à l'ouest de la Chine, qui refusent de voir la culture chinoise mordre sur leur identité. Le pouvoir a placé les dix millions de Ouïgours de Chine sous haute surveillance, d'autant que certains militants de la cause sont allés s'entraîner et combattre en Afghanistan aux côtés de Ben Laden. Quand deux d'entre eux ont été libérés de la prison américaine de Guantánamo en 2006, le pouvoir chinois a voulu les récupérer pour les interroger. Ils ont finalement été expulsés vers l'Albanie, sans quoi ils auraient été arrêtés à leur arrivée en Chine.

L'ennemi n° 1 du pouvoir chinois demeure le « Mouvement de libération du Turkestan oriental », qui prône l'indépendance de la province du Xinjiang, peuplée de dix millions de Ouïgours. Ces populations musulmanes avaient autrefois leur république avant l'arrivée au pouvoir de Mao, mais le Grand Timonier a voulu « restaurer l'autorité chinoise » sur ce territoire pour empêcher les velléités séparatistes. Dans les écoles secondaires, des cours sur le « Xinjiang indivisible » ont même été introduits, et la langue ouïghours n'est plus enseignée à l'université d'Urumqi.

Le pouvoir central protège ses intérêts dans la région, avec surtout le nouveau gazoduc qui court sur quatre mille kilomètres, de la ville de Korla, à l'ouest de la Chine, jusqu'à la capitale économique Shanghai, à l'est du pays. Sur les routes, on croise des colonnes entières de camions transportant des militaires : entre la fronde des Ouïgours et la proximité des frontières sensibles de l'Asie centrale, le Xinjiang est bien la province la plus turbulente de Chine. En 1997, un soulèvement fortement réprimé aurait fait plus de cent cinquante morts. Mais les attentats organisés par cette minorité musulmane relèvent encore de l'artisanat : bombe dans des bus à Urumqi, plasticages devant des commissariats de police. Officiellement une dizaine de morts en huit ans. Ils n'en cachent pas moins un désir profond des Ouïgours de se séparer des Chinois. En revanche, la répression est sans nuances et passe souvent par la prison, les camps de travail ou le poteau d'exécution.

Pour déjouer ce genre de « complots », les autorités remontent à la source et infiltrent les groupes d'étudiants qui vont étudier en Turquie. Car Ankara soutient en coulisse le séparatisme ouïghour, de même que l'Arabie saoudite et l'Iran.

D'autres ethnies, comme les Mongols de Chine, tentent aussi de préserver leur identité, mais elles sont devenues minoritaires dans leur propre province. Elles ne représentent pas plus de 18 % de la population. Avec le temps, les Han ont réussi à peupler les deux tiers de la Mongolie-Intérieure. Cette province compte aujourd'hui 24 millions d'habitants alors qu'ils n'étaient guère que 4 millions à la naissance de la République populaire. Le pouvoir a laissé aux Mongols de Chine leur costume national, leur musique et leurs chants des grands espaces si pénétrants. Ils ont aussi leurs députés à l'Assemblée populaire, mais leur identité est sans doute condamnée à plus ou moins long terme.

L'objectif final du pouvoir chinois, en encourageant les populations han à s'installer dans les régions les plus reculées du pays, est bien sûr de développer économiquement ces provinces dépeuplées et d'en exploiter les ressources. Mais, pour cela, le régime doit les mouler dans le système, et procède au nivellement culturel des populations qui vivent là.

Parfois, ces minorités entrent en conflit avec la majorité han, surtout dans les régions pauvres comme la province du Henan. Le pouvoir central s'efforce d'étouffer ces affaires, mais ce n'est pas facile quand il y a des morts.

À l'automne 2004, le gouvernement décréta même la loi martiale dans cette province à la suite d'une bataille rangée entre les Han et les Hui. Un banal accident de la route avait dégénéré. Un musulman hui, au volant d'un camion, a renversé et tué une fillette han de six ans. Les deux communautés se sont alors mobilisées et en sont venues aux mains. Elles ont même utilisé des gourdins, des bêches, des faux et des pierres. Les Han ont mis le feu aux poudres en incendiant des maisons appartenant aux musulmans alors qu'ils étaient en plein ramadan. Les affrontements ont fait officiellement sept morts et quarante blessés. Pas de journalistes acceptés sur place, ni Chinois ni étrangers, donc une bataille sans témoins.

Aujourd'hui, le pouvoir central reconnaît que ce genre d'affrontement existe et fait régulièrement des victimes. Mais l'histoire de la République populaire est jalonnée de ces flambées de violence entre les Han et les minorités et, pour quelques incidents révélés au grand jour, des centaines d'autres sont étouffés.

16

LA DEUXIÈME VIE DU PRÉSIDENT MAO

La file d'attente dessine un long serpentin sur la place Tiananmen. Elle doit bien faire cinq cents mètres de long. La chaleur et le soleil sont accablants, mais ne semblent guère déranger la foule. J'avais déjà vu le corps momifié de Lénine sur la place Rouge, à Moscou, et celui de Hô Chi Minh à Hanoi. Il me manquait celui de Mao. Je me glisse donc dans cette queue interminable avec peu d'espoir d'aller jusqu'au bout. Les Chinois ont toujours une fâcheuse tendance à vous passer devant, et je n'aime pas ça. Or, pour voir la dépouille du Grand Timonier, ils sont prêts à tout.

Je vois défiler des familles pékinoises et des groupes venus d'autres villes, mais aussi des paysans débarqués d'un autre monde. Quelques-uns portent encore le bleu de travail et la casquette, l'« uniforme » de la période Mao. Souvent c'est la première fois qu'ils visitent la capitale. Ils s'étonnent de la présence de l'étranger que je suis et qui les observe. Les enfants me montrent du doigt et les parents ricanent. Ils me prennent pour un Russe.

L'atmosphère est bon enfant, plutôt détendue ; on parle fort, on s'interpelle. Les enfants posent des tas de questions aux anciens. Les gardiens font régner l'ordre en demandant aux visiteurs de se présenter deux par deux. Il a fallu déposer les sacs dans un vestiaire à l'autre bout de la place.

La tension devient palpable quand on pénètre dans l'enceinte du mausolée. Quelques visiteurs sortent du rang pour acheter des fleurs. Ils iront les déposer devant la statue de Mao en marbre blanc qui domine les marches. Les bouquets seront remis sans scrupules et sans complexes dans le circuit, quelques minutes après leur passage, sans que personne n'y trouve à redire. À l'intérieur du bâtiment, il faut circuler sans s'arrêter devant la dépouille. Des vigiles font accélérer le mouvement. Les gens continuent de parler en passant près du visage couleur de cire de Mao Zedong. Les déboires rencontrés par son entourage pour l'embaumer montrent qu'il n'a pas été facile de donner une deuxième vie à ce corps trop gonflé par la mort, en totale contradiction avec les rites funéraires du pays. La poitrine est recouverte du drapeau de la République populaire, et Mao, dans cet accoutrement, aura vu défiler des centaines de millions de curieux et d'admirateurs.

Tout le parcours est jalonné de caméras afin de traquer le moindre fauteur de troubles. Les visiteurs ne nourrissent pourtant pas de rancœur contre Mao même s'ils ont eu à souffrir de sa politique et de la gestion catastrophique du pays. Ils sont conscients des responsabilités du Grand Timonier dans la famine des années 1960 qui fit des millions de morts. Mais, au-delà, il reste l'image du fondateur de la République populaire et c'est elle qui l'emporte sur les malheurs de la Chine. Le pays a besoin de se raccrocher à une personnalité, un homme, un chef, un héros pour concrétiser son histoire. Et c'est Mao qui l'emporte aujourd'hui encore. Il est entré dans le panthéon des demi-dieux chinois.

La sortie de ce mausolée austère est laissée aux marchands du temple, vendeurs de médailles à l'effigie de Mao, de tasses à thé où est peint son portrait et de montres bon marché où la grande aiguille est représentée par son bras montrant au peuple la direction à suivre. Les familles, comme le veut la coutume, traversent ensuite toute la longueur de la place et se retrouvent à l'entrée de la Cité interdite, sous le balcon de la porte de l'Est, d'où Mao Zedong proclama au micro la naissance de la République populaire.

Quatre générations se font ainsi photographier sous le portrait géant du Grand Timonier, placé là depuis 1950 et qui fut maculé d'encre par un journaliste chinois, durant les événements de 1989. Yu Dongyue a écopé de dix-sept ans de prison. Il est sorti en 2006, mais il a perdu la raison en détention et vit cloîtré dans sa famille.

Des milliers de visiteurs défilent chaque jour au pied de ce portrait. Visages figés devant l'objectif, fierté d'apparaître à l'image à côté du fondateur de la République populaire, honneur de se retrouver en famille sur cette place historique. Mao et Tiananmen représentent une sorte d'aboutissement d'un voyage qu'il faut éterniser.

L'image de Mao est aussi entretenue par le goût du kitch : les fabriques de bustes, de poteries, d'assiettes, de statuettes en terre cuite, de réveils à son image tournent à plein rendement. Le culte de Mao se retrouve un peu partout en Chine : sa statue blanche apparaît souvent sur les campus des universités, dans certaines gares, sur les places de quelques grandes villes. Son portrait orne parfois les demeures familiales. Son dauphin, le Petit Timonier Deng Xiaoping, qui a pourtant apporté la prospérité à la Chine nouvelle, apparaît assez peu, et c'est encore la figure de Mao qui domine partout dans le pays.

La mode du « tourisme rouge »

La statue du fondateur de la République populaire la plus imposante que j'ai découverte est celle de

Shenyang, la capitale du Liaoning. Dans cette ancienne cité de l'industrie lourde qui lui était si chère, Mao continue de régner en maître. Il domine de ses trente mètres de hauteur une scène naïve de la Longue Marche où des guerriers aux aguets semblent regarder avec méfiance les enseignes géantes de la bière chinoise Tsingtao et des téléphones portables Nokia. L'endroit est devenu le rendez-vous des pratiquants du tai-chi et même du roller. Il sert également de circuit de course à pied aux unités de l'armée chinoise.

En sa demeure, Mao Zedong se veut plus sobre. Sa maison natale de Shaoshan, dans la province du Hunan, est d'abord un site de pèlerinage avant d'être un lieu de fête populaire : musique douce, discipline imposée, tenue correcte exigée, absence de marché du kitch. Les visiteurs viennent surtout se recueillir à Shaoshan et guère s'amuser. Le Parti entretient ici le culte du fils de paysan pauvre qui a pu conquérir le pouvoir suprême, et cela mérite le respect.

La statue du village n'est guère imposante, mais suffit aux délégations venues de tout le pays pour éterniser une photo de famille qui sera immanquablement affichée dans l'entreprise. Aujourd'hui, Shaoshan est devenue l'étape obligée du « tourisme rouge » inventé par le pouvoir chinois pour que le peuple se recueille sur les sites historiques qui ont marqué la révolution. L'affaire est jugée rentable politiquement et surtout économiquement. Elle satisfait le besoin des Chinois pour leur histoire passée et fait entrer des centaines de milliers de yuans dans les caisses de régions souvent déshéritées.

Chaque étape de la Longue Marche est devenue un lieu de visite touristique. À Yan'an, qui servit pendant plus de dix ans de quartier général aux hommes de Mao contre les troupes de Tchang Kaï-chek, les visiteurs envoyés par leurs unités de travail défilent chaque jour sur ces lieux de mémoire. L'endroit est présenté comme le « berceau de la révolution ». On y voit la chambre très sobre où vécut Mao, son lit, sa modeste table de travail, ses écrits car il fallait que l'homme qui guida la Chine pendant trente ans fût aussi poète et calligraphe. On peut même se déguiser en « combattant révolutionnaire » avec casquette et fusil pour éterniser l'instant sur la carte mémoire d'un photographe de rue. Quelques anciens combattants à la poitrine chargée de médailles sont là pour raconter la vie des héros de la révolution et perpétuer pour l'éternité la version de l'histoire dictée par le Parti.

Un film en dix épisodes sur la vie de Mao et sa conquête du pouvoir passe même régulièrement à la télévision chinoise : une grande épopée arrangée par les cadres du Parti, l'histoire revisitée pour qu'elle fasse honneur à la Chine. Les historiens occidentaux, quant à eux, en donnent une autre version et la présentent comme la débandade d'une poignée de gueux qui cherchaient un repaire pour éviter le combat avec les troupes du Kuomintang...

Les Chinois ont besoin de références historiques contemporaines, de héros positifs. À tort ou à raison, Mao en est devenu un. En revanche, à l'étranger, des centaines de témoignages ont contribué à faire pâlir l'étoile du Grand Timonier, à commencer par le récit de son médecin personnel, Li Zhisui. Il nous décrit avec force détails l'aspect tyrannique, médiocre et crasseux du maître de la Chine et son amour obsessionnel pour la chair fraîche.

Mais les Chinois perçoivent autrement le personnage, et pas seulement à cause de la censure qui leur en donne une autre version. Malgré leurs souffrances passées, ils se réfugient dans l'image qui les arrange, celle du Grand Timonier qui inspire encore le respect. Une certaine pudeur les empêche de pousser trop avant la critique. Dans les familles, on n'évoque guère les privations et les punitions imposées durant la période où Mao était au pouvoir, et la mémoire ne revient que lentement.

Même dans la mort, Mao continue de faire de l'ombre à celui qui fut son éternel conseiller et ministre des Affaires étrangères : Zhou Enlai, décédé quelques mois avant lui, en cette année funeste de 1976 où la Chine a subi le plus terrible tremblement de terre qu'elle ait jamais connu : deux cent cinquante mille morts. Son image est pourtant bonne dans la société chinoise et surtout à l'étranger. La culture et l'éducation de Zhou Enlai auraient pu effacer facilement celles du « paysan président » de Shaoshan, mais, tout au long de l'histoire, Mao s'est toujours efforcé de gommer l'image de son ministre des Affaires étrangères.

Zhou Enlai reste pourtant dans les mémoires comme celui qui a pu préserver le patrimoine du pays. Pas un édifice, pas une statue de valeur dans un temple perdu qui n'auraient été sauvés durant la révolution culturelle, sans l'intervention personnelle de l'homme de confiance de Mao Zedong. Il en va ainsi du Potala, des pagodes de Kaifeng, du temple du Ciel et des multiples bibliothèques de Chine qui ont survécu au saccage des gardes rouges.

Nanjie, entre Staline et Marx

Un seul « village » de Chine se vante encore de vivre à l'heure Mao : Nanjie et ses trente mille habitants, dans la province pauvre du Henan. J'ai pu y séjourner à l'automne 2001 pour un reportage destiné à donner une note d'exotisme et de nostalgie à notre journal télévisé. Nous avions pu obtenir les autorisations assez facilement puisqu'il s'agissait, au fond, de montrer que la doctrine de Mao, quelque part en Chine, pouvait encore servir de modèle.

À Nanjie, la population est mise au pas grâce à une cellule du Parti qui a gardé intacte l'idéologie enseignée par le fondateur de la République populaire. L'argent ne compte pas : tout est payé par la communauté. Les ouvriers des usines de nouilles ne gagnent qu'une vingtaine d'euros par mois, comme les patrons d'ailleurs ; mais qu'importe puisque tout est gratuit : l'école, le logement, la santé. La sécurité sociale n'est pas un vain mot à Nanjie. Tous les anciens travailleurs d'entreprises perçoivent une retraite, alors que, dans le reste de la Chine, seuls 20 % des retraités touchent leur pension.

Dans les rues, la commune affiche son admiration pour les grands dirigeants des pays socialistes, avec des peintures géantes de Karl Marx ou de Staline. L'entraînement militaire est obligatoire pour tous, et une milice de mille cinq cents hommes est chargée de défendre les « acquis du socialisme ».

« L'économie de notre village est comme un navire qui vogue et qu'il faut protéger », me dit un jeune soldat. Il vient de suivre une séance de karaté. Son crâne rasé est couvert de sueur. Il se repose sur un matelas mousse qui lui sert de lit et sous un portrait géant de Mao bien sûr. Sa vie me semble plutôt austère, presque monacale. Il est convaincu que la révolution chinoise est menacée de l'intérieur par la vague de libéralisme économique qui balaie le pays tout entier. Personne à Nanjie ne pourra le contredire. Il n'y a ici ni mendiants ni chômeurs. Même les ouvriers migrants sont logés gratuitement, et les distributions gracieuses de nourriture, d'œufs, de farine, de légumes animent souvent le centre de la « cité Mao ». Les patrons se vantent même de toucher le même salaire que les ouvriers.

À Nanjie, le véritable prix à payer, c'est la discipline, et la seule critique qu'on ait le droit de faire, c'est la sienne. Il est aussi de bon ton de dénoncer son voisin ou son collègue de travail. Dans les usines, les ouvriers en casquette et uniforme blanc doivent entrer au pas, en rang par trois, en chantant l'hymne du Parti communiste : « Le Parti a sauvé le peuple et montré la voie de sa libération, sans lui il n'y aurait pas de nouvelle Chine. »

Vivre à Nanjie ça se mérite. Voilà quinze ans que ce village fonctionne avec cette rigueur ordonnée par le secrétaire local du Parti, Wang Hongbin, grand admirateur du président Mao et inconsolable depuis sa disparition. Il se vante d'avoir fait faire un grand bond en avant au niveau de vie des habitants, en appliquant ses directives. « La pensée du président Mao ne sera jamais démodée, nous dit-il ; elle est toujours vivante dans le cœur des Chinois. » Et, pour que les jeunes en connaissent l'importance dès le plus jeune âge, il a rendu obligatoire cette chanson dans les écoles : « Le soleil rouge se lève à Tiananmen et Mao Zedong nous conduit vers l'avant. »

Dans toute la Chine, l'art contemporain s'est inspiré sans complexes de Mao Zedong. Le personnage est régulièrement transformé et défiguré par l'imagination débordante et iconoclaste des jeunes artistes. Sur l'ancien site industriel de Dashanzi, près de Pékin, transformé en ateliers pour les jeunes créateurs, j'ai même rencontré un artiste de cinquante-cinq ans, Wang Wenhai, qui a fabriqué pendant toute sa vie cinq mille statues identiques de Mao Zedong grandeur nature, destinées aux entreprises d'État ou aux musées nationaux. Aujourd'hui, il réalise des sculptures naïves et kitch du Grand Timonier pour les galeries d'art chinoises, fréquentées par les nouveaux riches. « Mao est devenu une obsession dans ma vie », m'a-t-il confié.

Son œuvre maîtresse est à présent une statue de Mao et de Karl Marx se donnant la main en tenant un parapluie… « C'est pour traduire ce que dit le proverbe, me dit l'homme : il faut braver le vent et la tempête dans le même bateau pour répandre le communisme. » Wang

Wenhai n'en revient pas de voir que Mao lui permet de faire fortune. Pour lui rendre hommage, il va construire face à son ancien quartier général de Yan'an une statue géante de cent trente mètres de haut. Il veut aussi disposer vingt-cinq mille statuettes du « guide de la révolution » tout au long de l'itinéraire de la Longue Marche...

Mao est devenu une bonne affaire qui peut rapporter gros et un thème sans cesse rebattu par les jeunes artistes. Mais la censure veille. Ceux qui vont trop loin doivent retirer leurs œuvres des salles d'exposition, comme Gao Qiang avec son Mao nageant dans un fleuve couleur de sang, allusion au Grand Timonier se baignant dans le Yangtsé. Le ministère de la Culture et de la Propagande n'a guère apprécié le rapprochement.

Dans les expositions internationales, Mao devient un personnage respectable et un modèle très recherché sur des tableaux qui se vendent jusqu'à 800 000 euros sur le marché de l'art. Plus de trente ans après sa mort, le Grand Timonier continue de hanter l'univers des Chinois partout dans le monde et reste bien présent dans leur vie.

17

COMBATS POUR LES DROITS DE L'HOMME

Dès le début de mon séjour en Chine, j'ai voulu rencontrer cette femme qui se bat pour réhabiliter la mémoire de son fils de dix-sept ans, mort dans la répression de la place Tiananmen. Je veux parler de Ding Zilin, cette enseignante de soixante-cinq ans, constamment harcelée par le pouvoir communiste, qui veut lui faire cesser le combat.

Ding Zilin me rappelait la lutte de ces « mères de la place de Mai », en Argentine, qui veulent connaître le sort de leurs enfants disparus pendant la dictature militaire et, chaque semaine, tournent en rond sur ce lieu symbolique de Buenos Aires. Sauf qu'à Pékin, pas de manifestation possible : le pouvoir ne reconnaît pas les victimes de Tiananmen, et tout rassemblement est immédiatement réprimé. Ding Zilin vit avec son mari en résidence surveillée depuis juin 1989. Pour la rencontrer, il faut rester très vague au téléphone, mais elle comprend bien vite de quoi il s'agit. Car toute sa vie reste tournée vers ces événements et la mort de son fils.

En ce printemps 2004, nous prenons contact avec elle trois semaines avant l'anniversaire de la répression. Il est clair que son téléphone est écouté – le nôtre aussi d'ailleurs –, mais Ding Zilin a l'habitude et nous fixe rendez-vous chez elle, comme s'il s'agissait d'une simple visite amicale.

Par précaution, nous venons en taxi et non pas avec notre véhicule aux plaques noires signalant que nous sommes étrangers. Une voiture aux vitres teintées est stationnée à l'entrée de sa résidence, composée d'une dizaine de bâtiments. Elle est sans doute destinée à sa surveillance. Un gardien nous demande où l'on va. Je me dis que nous allons échouer avant même d'avoir pu rencontrer cette « mère de Tiananmen ». Mais non, il nous laisse aller. Nous nous faufilons dans des cours d'immeubles désertes avec notre caméra profession- nelle désossée et dont les éléments sont répartis dans plusieurs sacs, avant d'arriver au bon numéro. Nous croisons une ménagère qui semble revenir de faire ses courses. C'est elle, je la reconnais ; elle paraît légère- ment plus âgée que sur les photos. Elle est un peu voûtée, mais le visage digne, doux et attachant. Elle ne paraît pas tendue, moins inquiète que nous en tout cas, pour le déroulement du tournage.

L'appartement est petit mais très propre. Il faut reti- rer ses chaussures. Au mur, un seul portrait du fils dis- paru dans un cadre de mauvais goût. Il sourit et porte un survêtement, le même qu'il avait quand il a été tué sur la place Tiananmen dans la nuit du 4 juin 1989.

Ding Zilin ne nous laisse guère parler. Elle récite une plainte sans doute mille fois répétée. Son mari, Jiang Peikun, universitaire à la retraite et marginalisé depuis 1989, est là aussi. Il se contente d'acquiescer. Le vrai leader c'est elle. Quinze ans après Tiananmen, elle est encore sous le coup de l'émotion, au bord des larmes. C'est toujours la douleur d'une mère pour la perte d'un fils qui dicte ses paroles, et les motivations politiques semblent passer au second plan.

Cette année-là, la France, patrie des droits de l'homme, vient de se ranger derrière l'Allemagne en faveur d'une levée de l'embargo sur les armes à desti- nation de la Chine, une mesure qui avait été prise à la suite des événements de 1989. Ding Zilin y est, bien sûr, sensible. Elle est parfaitement au fait de l'actualité internationale et nous déclare sans crainte :

« Sans changement d'attitude du gouvernement chinois vis-à-vis des événements du 4 juin, sans reconnaissance de ce qui s'est passé réellement, lever l'embargo sur les armes à la Chine est une erreur. »

Il est difficile d'imaginer le harcèlement constant que subissent cette femme et son mari depuis la mort de leur fils : arrêtés, contrôlés régulièrement par la Sécurité publique, écoutés, filés, placés en résidence surveillée durant les périodes sensibles. Elle nous confie :

« D'abord ils ont essayé de me faire fléchir ; puis ils ont pris des mesures contre moi. Ils ont exercé des pressions politiques jusqu'à nous priver d'enseigner, mon mari et moi. Nous avons dû quitter les salles de cours et abandonner nos étudiants. »

Le couple n'a pourtant pas lâché prise, bien au contraire. Ding Zilin est parvenue à regrouper cent onze familles de victimes : elles veulent toutes que le verdict officiel sur la répression de Tiananmen soit révisé :

« Nous soutenons les réformes économiques qui apportent la prospérité au peuple chinois, mais nous nous opposons à l'immobilisme politique. » Ding Zilin demande carrément les excuses du gouvernement. Elle veut que le Parti reconnaisse la vérité sur les circonstances de la mort des victimes, dont le chiffre réel reste inconnu (de huit cents à trois mille selon les évaluations). Mais le pouvoir se contente d'affirmer que le mouvement étudiant était « une rébellion contre-révolutionnaire » et que la répression s'avérait nécessaire pour « maintenir un environnement favorable aux réformes économiques ».

Près de quatre cents militants de Tiananmen sont encore emprisonnés à la veille des Jeux olympiques de

Pékin. Ding Zilin se battra pour eux jusqu'au bout, même si une grande majorité de Chinois, pris dans l'engrenage de la société de consommation, a jeté un voile sur cet événement.

Notre entretien a duré une heure. Nous désossons de nouveau la caméra et cachons les cassettes sur nous. À la sortie de la résidence, la voiture noire aux vitres teintées est toujours là. Nous prenons un taxi dans la direction opposée, mais elle a tôt fait de nous rattraper. Nous décidons alors de nous faire conduire à l'entrée de la rue piétonnière de Wangfujing et de nous séparer, pour nous retrouver à notre bureau une heure plus tard.

Je fais l'erreur de revenir au même endroit pour reprendre un taxi. La voiture noire, qui n'avait pas quitté les lieux, me prend en chasse. Je me garde bien d'en parler au chauffeur. Elle me suivra jusqu'à l'entrée des bâtiments où se trouvent nos bureaux. La filature va s'arrêter là, mais, toute la journée, cette voiture aux vitres teintées restera en position à l'entrée de l'immeuble où nous travaillons. Il s'agit clairement d'une mesure d'intimidation. Ces hommes de main auraient pu nous confisquer les cassettes de l'interview de Ding Zilin à la sortie de son domicile ou, plus simplement, nous demander nos passeports, nous interroger. Ils ne l'ont pas fait. Sans doute le pouvoir voulait-il montrer qu'il était parfaitement au courant de nos activités et qu'il pouvait y mettre fin à sa guise.

Nous expédions banalement notre reportage par la poste puisque nous sommes à trois semaines de l'anniversaire de Tiananmen et qu'il reste du temps. Il ne sera pas contrôlé. Une diffusion par faisceaux satellites aurait sans doute été bloquée par la Télévision centrale chinoise, qui contrôle tout ce qui sort de Chine par la voie du ciel…

Après cette interview, l'étau se resserre autour de Ding Zilin. Son appartement est plus étroitement surveillé. Elle ne peut plus recevoir la presse. Elle nous fait suivre les appels des journalistes des chaînes d'information anglo-saxonnes comme CNN ou BBC qui auraient voulu la rencontrer et qui ne peuvent pas. C'est avec plaisir que nous leur donnons une copie de l'entretien avec cette « mère de Tiananmen ».

La cybercontestation

Près de vingt ans après le « printemps de Pékin », la dissidence a pris un autre visage en Chine celui de la « cyberdissidence »... La deuxième révolution s'appelle Internet.

Avant même d'écarter le rideau de plastique, je suis saisi par l'odeur âcre des cigarettes chinoises de mauvaise qualité. Je m'enfonce dans la pénombre avant de voir une lampe rouge sur un comptoir. Et, derrière le comptoir, une fille plutôt vulgaire aux cheveux qui tombent sur les yeux... Son patron, qui la surveille de loin, a vu que j'étais étranger et, d'un coup d'œil, lui rappelle le règlement. Tout client, chinois ou étranger, doit remettre une pièce d'identité avant de prétendre aller naviguer sur Internet.

Je viens d'entrer dans le cybercafé le plus grand du monde. Il y a ici deux mille ordinateurs répartis dans dix-neuf salles dans la banlieue de Pékin. Personne ne fait attention à moi. On entend les conversations bruyantes des jeunes qui téléphonent par le Net et le raclement de gorge de ceux qui s'apprêtent à cracher par terre... Tous les regards des clients sont fixés sur les écrans : la souris dans la main droite, la cigarette dans la main gauche. Ils sont assis dans des fauteuils en mousse déchirés qui sentent la transpiration. Tant de doigts ont parcouru les claviers que les lettres sont pratiquement effacées.

Je fais semblant de chercher ma place pour voir un peu qui fait quoi sur le Net. Je veux me donner l'impression d'entrer dans le monde clandestin des internautes chinois, mais je suis déçu. La plupart d'entre eux s'amusent à des jeux en ligne, souvent violents. Les balles sifflent à mes oreilles, les explosions gênent ma progression dans les allées du cybercafé ; ici c'est la guerre... et pas des jeux d'enfants.

Quelques internautes, des filles surtout, envoient leurs courriers du cœur et communiquent à l'aide d'une webcam en forme de tête de Mickey, avec un prétendant perdu dans une province lointaine.

Je pensais trouver là des jeunes activistes envoyant à leurs complices des messages sur le développement de la pollution en Chine, les arrestations d'internautes, la survivance des *laogai* (les goulags chinois), le malheur des paysans et les difficultés de la classe ouvrière. Il n'en est rien. Internet en Chine, c'est d'abord fait pour s'amuser.

Ceux qui osent viser autre chose risquent gros. Les créateurs de « blogs » où l'on parle démocratie et droits de l'homme ont toutes les chances de se retrouver derrière les barreaux pour quelques années. Créer son blog où l'on va dénoncer la corruption, la dictature du Parti et le silence sur les massacres de Tiananmen est une entreprise suicidaire. Une cinquantaine d'internautes sont ainsi en prison. C'est que le pouvoir communiste surveille la Toile.

La Chine compte plus de cent cinquante millions d'amateurs du Net, mais possède aussi la cyberpolice la plus perfectionnée du monde qui comprendrait plus de trente mille hommes. Officiellement, leur mission consiste à lutter contre la pornographie, car qui oserait prétendre que la liberté de communiquer n'existe pas en Chine ? Ces policiers ont installé sur tout le pays un pare-feu informatique baptisé « grande muraille », car il arrête tout ce qui dérange le pouvoir de l'Empire rouge. D'abord, il y a les mots clés qui donnent l'alerte sur un échange suspect de messages. Ensuite, il y a les milliers de sites interdits, ceux qui parlent des activités du dalaï-lama, de la secte Falun Gong ou des journalistes chinois emprisonnés.

Les organisations de défense des droits de l'homme accusent même les multinationales de l'Internet, comme Yahoo, d'avoir livré à la cyberpolice chinoise des informations qui ont permis l'arrestation du journaliste Shi Tao. Il avait fait circuler sur la toile une note du gouvernement demandant aux journaux chinois de ne pas parler de l'anniversaire de la répression de Tiananmen. Dans le même esprit, Microsoft a retiré le blog d'un journaliste à la demande du gouvernement chinois, et Google a accepté de lancer dans le pays une version censurée de son moteur de recherche.

Beaucoup de choses sont interdites dans l'Empire rouge, mais beaucoup d'autres sont possibles. Avec l'abonnement d'un fournisseur d'accès sur Hong Kong, on parvient à contourner la censure du Net. Un Américain d'origine chinoise a même inventé un logiciel, Free-gate («portail libre») qui permet de déjouer la censure chinoise.

Le cybedissident Hu Jia, en résidence surveillée au début de l'année 2008, parvenait encore à communiquer par téléphone avec le monde entier grâce au Net, et même à envoyer à l'étranger, avec sa webcam, des images des policiers qui patrouillaient en bas de chez lui... J'ai même pu dialoguer avec lui depuis Paris, quand il a reçu le prix Reporters sans frontières ; son visage apparaissait sur l'écran et j'avais l'impression d'être à ses côtés. Sa femme, Zeng Jinyan, de son côté, parvenait à entretenir un blog intitulé *Chronique d'une vie surveillée*. Quand les autorités chinoises ont eu vent que Hu Jia et son épouse avaient conservé une fenêtre ouverte sur le monde grâce à une simple ligne téléphonique, Internet et la webcam, l'homme a de nouveau été arrêté pour « subversion du pouvoir de l'État » et incarcéré. Quelques mois avant le début des Jeux de Pékin, Hu Jia, fait citoyen d'honneur de la Ville de Paris en avril 2008, était devenu le symbole de la dissidence en Chine, obligeant le pouvoir communiste à montrer son vrai visage et perturbant quelque peu les préparatifs de la fête olympique. Il s'est vu condamner à trois ans et demi de prison quatre mois avant la cérémonie d'ouverture des Jeux.

Avocats aux pieds nus

Mais faut-il placer le combat pour les droits de l'homme en Chine sur le terrain de la censure ? Peu de citoyens se révoltent face à cette situation, et mon propos n'est pas de dresser une liste des intellectuels ou des journalistes détenus pour avoir voulu déclencher le débat démocratique dans l'Empire rouge. En Asie, le concept de démocratie n'est pas le même qu'en Occident. Les droits de l'homme, pour les Chinois, c'est d'abord le respect dans le travail, le droit à une information juste, le droit aux soins et à la justice.

Or, dans ce domaine, le régime entrave l'action des hommes de loi qui défendent la justice et les libertés. Je veux parler de ces « avocats aux pieds nus » qui soutiennent les paysans qui se font confisquer leurs terres ou les femmes qui résistent aux stérilisations forcées. Du temps de Mao, il y avait les « médecins aux pieds nus » qui marchaient de village en village pour soigner les populations ; il s'est créé, dans la nouvelle société chinoise, une classe d'avocats modestes qui aident les plus défavorisés. Ils ont été ironiquement baptisés « les avocats aux pieds nus ». Ce sont les vrais combattants des droits de l'homme, mais ils se heurtent à la forte opposition des pouvoirs locaux. Chen Guangcheng, militant aveugle et défenseur des opprimés, en est un symbole. Il est constamment harcelé par une justice au service du Parti et régulièrement condamné pour « trouble de l'ordre public et association de malfaiteurs ». Pour avoir révélé les méthodes employées par les autorités du planning familial dans le contrôle des naissances de la région de Linyi (province du Shandong), il a été condamné à quatre ans de prison, son épouse, arrêtée car elle avait témoigné en sa faveur et pris sa défense devant la presse internationale.

Le vrai combat pour les droits de l'homme en Chine est aussi celui que mènent des associations basées à Hong Kong qui défendent les ouvriers chinois exploités et dénoncent le travail des enfants. Régulièrement, sous leur pression, la police fait des rafles dans les briqueteries du Henan et du Shaanxi, où des gamins de moins de quinze ans sont employés sans salaire à raison de douze heures de travail par jour. Mais, souvent, les policiers et les autorités locales sont complices et il n'est pas possible d'empêcher cette forme d'esclavage encore pratiquée dans les campagnes chinoises.

La Chine exploite aussi ses prisonniers, qu'elle fait travailler sans les payer, contrairement aux directives de l'Organisation internationale du travail. Je les ai vus dans la ville de Dandong, frontalière de la Corée du Nord, poser des rails de chemin de fer avec leur tenue blanche rayée de bleu. J'avais même l'impression de me trouver dans une BD de Lucky Luke. Le dissident sino-américain Harry Wu a longuement dénoncé l'exploitation de ces hommes et, en Chine même, des intellectuels ont lancé une campagne pour la suppression des *laojiao*, les camps de rééducation par le travail. Car les personnes internées là n'ont pas même été présentées à la justice. Elles n'ont commis que des délits mineurs et sont envoyées dans ces camps de façon parfaitement arbitraire.

Les *laojiao* sont, en réalité, une survivance de la campagne antidroitière des Cent fleurs qui commença vers 1956. À cette époque, les intellectuels et même la population furent invités à critiquer le Parti afin qu'il améliore sa politique. C'était un piège qui se termina par la répression et la déportation de dizaines de milliers d'innocents. Comme l'a dit Mao : « Il fallait bien faire sortir les serpents de leurs nids et savoir ce que les citoyens avaient sur le cœur. » Trois millions de personnes sont ainsi passées par les camps de travail en un demi-siècle. Trois cent mille y seraient encore. On y trouve pêle-mêle des anciens de Tiananmen, des prostituées, des membres de la secte maudite Falun Gong, des militants des droits de l'homme ou des fidèles de l'Église du silence. Les associations se battent pour les faire sortir et changer le statut de ces camps.

Dix mille exécutions par an

Un autre débat est lancé en Chine, celui de l'abolition de la peine de mort : mille sept cent soixantedix exécutions pour l'année 2005, dont la plupart à la suite d'un procès expéditif. Ce chiffre est un minimum, établi en fonction des articles de la presse locale de toutes les provinces chinoises, qui ne manquent pas d'annoncer l'événement afin de donner l'exemple.

Amnesty International estime que la moyenne annuelle des condamnations à mort dépasse le nombre de deux mille sept cents. Un député de l'Assemblée populaire a pris le risque de dénoncer la peine capitale devant les délégués du Parti et ose parler de dix mille exécutions par an. Des voix s'élèvent aussi dans les universités pour demander que la justice chinoise ait la main un peu moins lourde. Soixante-huit crimes et délits sont passibles de la peine de mort et, pour les juges chinois, sous la pression du pouvoir, il est tentant d'y recourir

Le professeur Jia Hong ne cache pas son hostilité à la peine capitale, ni devant ses étudiants, ni devant notre caméra. Il n'a demandé à personne l'autorisation de nous parler, alors qu'il aurait dû en faire part au représentant local du ministère des Affaires étrangères de son université ; mais il ne sera pas inquiété.

« Pour faire baisser les crimes dans une société en pleine réforme comme la nôtre, il faut commencer par la prévention. Mais la pression exercée par les familles sur les tribunaux reste très forte. La peine de mort est liée aux traditions et à la culture chinoises... Dans la conception traditionnelle, la justice doit inclure la peine de mort, car la plupart des Chinois pensent qu'il est dans l'ordre des choses qu'une personne qui en tue une autre soit tuée également... En 1996, pendant l'opération "Frapper fort", quarante-neuf de mes élèves sur cinquante étaient favorables à la peine de mort, mais, au printemps 2002, j'ai fait une nouvelle enquête : sur quatre-vingt-six élèves, neuf préconisaient l'abolition de la peine de mort, ce qui veut dire que la sensibilité des gens vis-à-vis de ce problème est en train d'évoluer. »

Les Chinois restent peu sensibilisés au problème de la peine capitale, car elle est pratiquement anonyme. On connaît les chiffres des personnes exécutées, mais on ignore tout des hommes qui sont derrière ces macabres statistiques. La presse chinoise n'en dresse pas le portrait, ou alors les dépeint comme des criminels qui n'ont que ce qu'ils méritent. Elle ne prendra jamais la défense d'un innocent.

En septembre 2001, un homme de quarante et un ans, Jin Ruchao, était accusé d'avoir organisé l'attentat qui fit cent huit morts dans la ville de Shijia-zhuang (province du Hebei) en plaçant des explosifs. C'était un peu la version chinoise de l'attentat d'Oklahoma City. Sauf qu'ici, la justice est allée plus vite. Jin Ruchao, suspect n° 1, a été exécuté cinq semaines plus tard. Les organisations de défense des droits de l'homme ont dénoncé cette forme de justice expéditive, car l'homme était sourd, instable et simplet : il était incapable d'organiser pareil attentat avec autant de minutie.

L'affaire n'a pas ému l'Occident, comme elle aurait pu le faire si un tel événement s'était produit en Amérique. Le jour de l'attentat, la police chinoise bouclait l'entrée de la ville et nous interdisait d'approcher, empêchant toute réalisation d'images ou enregistrement de témoignages qui auraient pu donner une quelconque importance à ce fait divers hors du commun.

Aux États-Unis, les condamnés à mort ont un visage, une vie. Ils apparaissent même à la télévision. Les journalistes peuvent parfois les interviewer dans leur cellule. Leur quotidien dans les « couloirs de la mort » est connu du téléspectateur américain. Quand la chaise électrique entre en action ou que l'injection létale fait son œuvre, le monde entier connaît l'homme qui va passer de vie à trépas. Rien de cela en Chine. On ne retient pas même son nom. Le condamné à mort n'est qu'un numéro sur une liste qui augmente un peu plus chaque jour. Il n'y a donc pas d'accroche affective ou émotionnelle.

Dans les années 1970, des images d'exécutions – ou plutôt des séquences précédant des scènes d'exécutions – étaient encore distribuées au monde entier par la télévision chinoise pour montrer la fermeté du pouvoir face aux voleurs, aux criminels ou aux corrompus. Tous les trois ans était lancée une opération baptisée « Frapper fort ». Des images filmées en cachette, montrant plusieurs personnes fusillées en même temps, parvenaient aussi à l'étranger. Les condamnés, debout dans des camions, les mains attachées dans le dos et portant au cou des pancartes dénonçant leurs crimes, faisaient leur entrée sur des stades, hués par une foule en colère. Ces images sont devenues rares ; les exécutions continuent, mais plus discrètement et pas en public. On se contente d'exhiber le condamné à la télévision, baissant la tête au tribunal, comme pour montrer sa honte face à ses crimes. L'exemple le plus frappant est resté, pour moi, l'exécution de Cheng Kejie, ancien vice-président de l'Assemblée populaire, à l'été 2000, pour corruption. Ses amis politiques l'avaient lâché et ne lui ont pas même permis de sauver sa peau.

Le pouvoir a dû constater que les exécutions donnaient une mauvaise image du pays et n'en montre plus les préparatifs. Les bourreaux sont passés au stade plus raffiné de l'injection létale, et les condamnés meurent sans témoins. Pas d'image, donc pas d'événement... Heureusement, il y a toujours ce décompte sordide dans les milliers de journaux locaux qui nous permet de savoir que la peine de mort est encore loin d'être abolie en Chine.

Aujourd'hui, la justice chinoise prend lentement conscience de la gravité des sentences. Dans les années 1990, en pleine opération « Frapper fort », les autorités provinciales pouvaient prononcer la peine capitale comme jugement définitif pour les crimes menaçant la sécurité publique. À présent, les sentences de mort doivent être approuvées par la plus haute instance judiciaire du pays : la Cour suprême du peuple. C'est un progrès. La Chine reconnaît que la justice ne peut s'arroger aussi légèrement le droit de décider de la vie ou de la mort d'un homme. Pour l'année 2007, Amnesty avançait le chiffre de 470 exécutions, trois fois moins qu'en 2005, mais il est difficile d'en tirer une leçon quelconque puisque les véritables chiffres demeurent encore des secrets d'État. Il est clair néanmoins que la tendance est à la baisse.

Quand les dirigeants occidentaux viennent en Chine, il faut qu'ils puissent dire dans la conférence de presse qui va boucler leur voyage : « Oui ! Nous avons parlé des droits de l'homme. » Un chef d'État étranger rencontrant les dirigeants de l'Empire rouge évoque, en général timidement devant ses interlocuteurs, le problème de la répression au Tibet et le sort du dalaï-lama, en tentant de faire passer le message selon lequel le chef spirituel tibétain est un homme respectable. Il parle aussi de la peine de mort sans rentrer dans le détail et soumet parfois aux autorités chinoises une liste de prisonniers politiques et d'intellectuels emprisonnés, qu'il serait juste de libérer. Mais nous n'avons pas accès à ces listes.

Il s'agit aussi de ne pas froisser les Chinois, très susceptibles en la matière. Alors, dans un toast à l'honneur du pays et du Parti, nos dirigeants glissent une phrase bien pesée sur les droits de l'homme que les journalistes retiendront et qui satisfera, pour un temps, l'opinion internationale. Les choses ne bougeront que longtemps plus tard, si toutefois elles bougent... Le pouvoir ne veut surtout pas que l'on puisse penser qu'il agit sous la pression : l'Empire rouge n'a pas de leçons à recevoir des étrangers.

Dans le même esprit, la Chine publie une *Revue des droits de l'homme*, dirigée par le Conseil des affaires d'État où elle fait le procès de l'Amérique. Elle y retient la « manipulation des médias par de fausses informations », les arrestations de journalistes américains qui n'ont pas voulu révéler leurs sources, la possession d'armes à feu par les particuliers qui fait plus de quatre cent cinquante mille victimes chaque année, ou le fait qu'aux États-Unis, les deux tiers des entreprises contrôlent le courrier électronique de leurs employés... Le message est clair : l'Occident est d'abord appelé à balayer devant sa porte.

18

L'EMPIRE HORS DU MILIEU

Mon premier objectif, en débarquant en Chine à l'automne 2000, était d'évaluer l'ampleur du conflit avec Taïwan, cette épine dans le pied du géant chinois. J'étais fasciné par ce bras de fer permanent entre la Chine continentale et cette île très proche qui n'a jamais débouché sur un conflit armé en plus de cinquante années, mais reste un facteur de tension permanente. J'ai donc décidé d'y consacrer mon premier reportage.

À mon arrivée, on disait que quatre cents missiles étaient braqués sur l'« île rebelle » et pouvaient, en quelques heures, détruire ses centres névralgiques. Cinq ans plus tard, le chiffre avait doublé. J'avais encore en tête le schéma du conflit du Proche-Orient, où l'on ne peut pas acheter un billet d'avion pour Israël dans une capitale arabe car cela signifie qu'on va rendre visite à l'ennemi.

En Chine, rien de tout cela. Il n'est pas mal vu de dire qu'on se rend à Taïwan. Le régime chinois fait mine de montrer que l'île est d'ailleurs intégrée à la République populaire. Je suis toujours frappé de lire les pancartes dans les aéroports des grandes villes où il est écrit « Départs internationaux + Taïwan, Hong Kong et Macao », comme si Taïwan n'était pas une destination internationale, alors qu'il faut bien sortir de Chine et passer une frontière pour s'y rendre. En revanche, pas de vols directs de Pékin ou de Shanghai. Des liaisons de ce type ne sont organisées symboliquement que pour les fêtes du nouvel an chinois et réservées à quelques familles soigneusement triées sur le volet. Pour le commun des mortels, il faut passer par Hong Kong ou une capitale étrangère avant de gagner Taïwan.

Reste qu'en Chine, on peut acheter sans problème un billet d'avion pour Taïwan et ne pas cacher sa destination. Plus de trois cent mille Taïwanais travaillent d'ailleurs sur la côte Est du continent, dans l'électronique de pointe ou la fabrication d'automobiles : des entreprises essentielles au développement du pays : les deux tiers des semi-conducteurs au monde sont ainsi fabriqués par des entreprises taïwanaises.

Malgré le sentiment d'espionnite aiguë qui caractérise le pouvoir communiste chinois, on peut observer à la longue-vue les allées et venues des bateaux dans le détroit. Des jumelles sont mises à la disposition des visiteurs sur les plages de Xiamen, alors que des manœuvres militaires ont lieu régulièrement. Les premières îles sous autorité taïwanaise semblent très proches. Un touriste chinois me lance : « C'est une histoire de famille, Taïwan nous reviendra tôt ou tard. » Un slogan sur le mur dominant la route côtière affiche même la couleur en caractères géants : « Un pays, deux systèmes, il faut unifier la Chine. » Une dizaine de scooters des mers sont rangés sur la plage. Je me demande quel effet cela ferait d'en enfourcher un et de se retrouver, quelques heures plus tard, sur les rivages de Taïwan. L'Armée populaire et la marine ne me laisseraient pas aller bien loin, la côte est tellement surveillée !

J'ai du mal à imaginer une guerre dans ce détroit, même si nous sommes à la merci de la moindre bavure. La paix commerciale semble plutôt animer les relations entre Pékin et la capitale Taipei. Je suis étonné et amusé de voir que les abris antiaériens de la ville de Fuzhou, sur la côte chinoise, à portée des missiles taïwanais, ont été transformés en supermarchés. Les intérêts économiques sont sans doute les plus forts.

L'existence de Taïwan, cette île rebelle qui menace régulièrement de proclamer son indépendance, est une provocation permanente pour le pouvoir communiste. Taïwan, c'est la révolution inachevée, la Longue Marche interrompue, le territoire où s'était réfugié Tchang Kaïchek. « Il faut restaurer à tout prix la souveraineté de la grande Chine sur Taïwan », disent les dirigeants de Pékin : question d'honneur. Mais les Américains veillent à sa sécurité. Si l'armée chinoise intervenait en débarquant sur l'île ou en tirant ses missiles, la « sixième flotte » répliquerait immédiatement.

La Chine a réussi tant bien que mal à isoler Taïwan sur la scène internationale. Il ne reste aujourd'hui qu'une dizaine de petits États qui entretiennent des relations diplomatiques avec Taïwan, comme Haïti, le Swaziland, la Gambie ou le Vatican, mais Pékin se fait fort de les ramener dans le droit chemin. Car celui qui possède une ambassade dans l'Empire rouge ne saurait en avoir une autre dans l'île rebelle. Il faut choisir son camp. L'hypocrisie étant de mise, les grands pays qui entretiennent des relations avec la Chine continentale ont tous des « bureaux de développement » ou de « liaison » qui font office de chancellerie à Taïwan, la France la première avec son « Institut français ».

De même, les dirigeants du monde entier qui viennent faire leurs courbettes sur les tapis rouges du palais du Peuple à Pékin ne manquent pas de condamner les gesticulations de Taïwan pour obtenir la considération du pouvoir communiste.

Le rêve américain

En revanche, les Chinois n'admettent pas que les États-Unis puissent soutenir militairement l'île de Taïwan, et la relation avec l'« Oncle Sam » demeure ambiguë. D'un côté, la télévision chinoise ne manque pas une occasion d'épingler la politique américaine sur la guerre en Irak ou la lutte contre le terrorisme, mais, de l'autre, les États-Unis restent le premier pays où la jeunesse aimerait émigrer. « J'aime l'Amérique, nous dit cet étudiant de l'université de Beida ; ce qui vient de là-bas est plus moderne que ce que nous fabriquons en Chine. Je trouve beaucoup de qualités aux Américains et nous devons nous en inspirer, car ils ont des dizaines d'années d'avance sur nous. Mais, parfois, je pense que les États-Unis sont trop despotiques. Ils imposent leur volonté aux gens comme quand ils ont bombardé l'ambassade de Chine à Belgrade. Ils sont aussi trop hégémonistes. »

Le directeur de l'Institut des sciences politiques de Pékin me résume clairement la position des Chinois : « Quand les parents disent aux enfants : "Dans quel pays d'outre-mer aimeriez-vous faire du tourisme ?", la première destination est l'Amérique. Les Chinois admirent les Américains.

Mais, face au gouvernement des États-Unis, les Chinois ont adopté une attitude globalement mauvaise qui s'est accentuée quand Bush est arrivé au pouvoir. La courbe de l'insatisfaction a monté. Quand je leur demande à quoi ils associent l'Amérique, les aspects négatifs font monter le mécontentement très haut dans le rouge… Les jeunes Chinois pensent quand même que leur pays pourra devenir un jour compétitif avec l'Amérique. »

Le rêve américain est bien vivant en Chine, et les signes du mode de vie à l'américaine apparaissent partout dans les villes : les fast-foods, les cafés, les Mickey, les Disneyland et leurs contrefaçons. La Chine veut imiter l'Amérique sans en avoir vraiment les moyens. Les Chinois font un complexe face aux Américains. Ils veulent eux aussi aller sur la Lune et s'y préparent d'ailleurs. Ils ambitionnent de voir leur pays devenir une puissance militaire capable de rivaliser avec la première puissance mondiale. Ils ont encore du chemin à parcourir.

Pardonner à l'histoire

Face au Japon, l'attitude des Chinois est tout aussi ambiguë, faite d'envie et de jalousie, marquée par le complexe mais aussi la haine et le souvenir du passé. Les flambées de violence surviennent sans crier gare. Au printemps 2005, nous sommes informés par SMS qu'une manifestation antijaponaise se prépare à Zhongguancun, le parc des sciences et des technologies de Pékin. L'information circule très vite par ce moyen-là. Le jour dit, un millier d'étudiants sont en place, portant le drapeau chinois et brandissant des pancartes hostiles au Japon et au Premier ministre Koizumi. Quelques cars de police sont là, mais l'ambiance est bon enfant.

Les manifestations sont devenues rares en Chine. Et pour cause ! L'impression est donc étrange. Tout le monde se demande d'où est parti le mot d'ordre lancé sur les téléphones portables. Il n'y a pas d'association en Chine capable de décider d'organiser une manifestation, sinon le pouvoir lui-même. Car, officiellement, il s'agit de dénoncer une nouvelle fois le révisionnisme japonais. Dans ses livres d'histoire, le Japon a une fâcheuse tendance à gommer le massacre de 300 000 personnes par son armée à Nankin, en 1937, qualifié seulement d'« incident ». La prostitution forcée de milliers de femmes chinoises, baptisées « femmes de réconfort », est carrément passée sous silence.

La Société japonaise pour la réforme des manuels d'histoire a donné son feu vert à la réédition d'un livre destiné aux écoles secondaires qui raconte, de façon très anodine, ces drames qui humilient la Chine. Le Japon est présenté comme la victime des puissances coloniales européennes, alors qu'il cherchait à protéger le reste de l'Asie. À Tokyo, dans le musée attenant au sanctuaire de Yazukuni, l'occupation de la Corée est justifiée par l'établissement d'un « partenariat » entre les deux pays.

Les Japonais affirment qu'ils se sont excusés dix-sept fois au cours de l'histoire contemporaine pour le comportement de leur armée en Chine, par la voix de leurs Premiers ministres successifs. Mais ces excuses manquaient fortement de sincérité. Jamais il n'y eut de débats dans l'empire du Soleil-Levant sur la guerre faite à la Chine. Le Japon n'a pas voulu se lancer dans un examen de conscience comme cette Allemagne de l'après-guerre qui aura consacré des centaines d'heures de documentaires et de débats à la radio et à la télévision, afin d'essayer de comprendre comment le pays avait pu commettre de tels crimes et soutenir l'action des nazis.

Le sens de l'honneur et du respect, la volonté de garder la face à tout prix sont tels au Japon que jamais les historiens n'écriront le contraire. Les négationnistes veillent et même menacent ceux qui oseraient douter de la version officielle de l'histoire. Le réalisateur Mizushima a même tourné un film intitulé *La Vérité sur Nankin* où il « prouve » que ce massacre est une pure invention, apparue au procès de Tokyo à la fin de la guerre.

Les Chinois se sentent aussi humiliés quand le Premier ministre japonais visite le sanctuaire de Yasukuni, à Tokyo, où reposent symboliquement les âmes d'une douzaine de criminels de guerre condamnés à mort par les Alliés pour crimes contre l'humanité. Parmi eux, le général Tojo, chef des armées impériales, ou le général Matsui, qui ordonna le massacre de Nankin. Le chef du gouvernement ne s'y rend guère qu'une ou deux fois par an, mais, à lire la presse chinoise, il viendrait s'y recueillir au moins une fois par semaine. Dans ces conditions, nos manifestants, qui progressent vers Pékin, en ont gros sur le cœur. Ils mettent le feu au drapeau japonais, ils invitent au boycott des produits venus du Japon, ce qui me paraît peu réaliste, la Chine étant le premier partenaire commercial de l'empire du Soleil-Levant.

Le cortège grossit à mesure que les heures passent et se divise à présent en plusieurs groupes dont l'un se rend à la résidence de l'ambassadeur japonais : jets de pierre, scènes d'hystérie. La police chinoise intervient mollement et empêche surtout les manifestants de pénétrer dans la résidence. Un étudiant me lance : « On peut pardonner à l'histoire mais pas la déformer. Comment le Japon peut-il prétendre siéger un jour au Conseil de sécurité ? »

Nous continuons à suivre le cortège. Un restaurant et des magasins vendant des produits japonais sont incendiés à l'aide de cocktails Molotov, des ressortissants japonais molestés dans la rue, l'ambassade du Japon encerclée. Les étudiants ne veulent pas en rester là. Le bruit court sur les téléphones portables qu'ils iront manifester contre le Japon le lendemain sur la place Tiananmen.

La colère antijaponaise prend une autre tournure. Le pouvoir commence à s'inquiéter, d'autant que d'autres scènes de violence touchent également les villes de Shanghai et Canton, ainsi qu'une vingtaine de provinces. Le lendemain, une dizaine de camions militaires sont stationnés aux abords de la place Tiananmen. Il y a foule car le mausolée de Mao est ouvert au public. Mais les familles et les paysans qui sont là ne semblent guère préoccupés par la colère des étudiants chinois contre le Japon. D'ailleurs, pas de traces de manifestants antijaponais. Les autorités, qui ont sans doute largement contribué à lancer cette campagne d'hostilité, ont su freiner l'ardeur des étudiants, qui aurait pu se retourner contre elles. La tension retombera en quelques jours et nous reverrons, dans les rues, les guides des agences de voyages brandir le drapeau japonais pour que la foule des touristes venus de l'empire du Soleil-Levant puisse pénétrer en ordre dans la Cité interdite.

Les intérêts économiques de la Chine et du Japon sont tellement imbriqués qu'on imagine mal un réel conflit entre les deux pays. Cette même année 2005 a vu les investissements japonais en Chine dépasser les cinq milliards d'euros. Pendant les querelles historiques ou les tensions diplomatiques, la lune de miel économique entre les deux pays ne connaît aucune éclipse...

Faut-il mourir pour l'Amour ?

La nouvelle Chine ne fera pas non plus la guerre à la Russie. Nous sommes loin des années 1960 où soldats chinois et soldats soviétiques mouraient pour l'Amour, le fleuve frontalier entre les deux puissances, ou pour l'Oussouri, un de ses affluents. En 1969, les deux pays étaient au bord d'un conflit armé. On en voit encore les traces.

Dans les ruelles de Pékin, à dix minutes à pied de la place Tiananmen, un porche fermé par une grille annonce un vaste labyrinthe. Ce sont des abris construits pour protéger la population et les dirigeants en cas de bombardements soviétiques. On peut encore s'y promener, mais le pouvoir chinois ne voit plus guère leur utilité à part celle d'une balade touristique à cinquante mètres sous terre dans des boyaux humides où l'on respire mal.

Cette page de la guerre froide est tournée. Aujourd'hui, Moscou et Pékin participent ensemble à des manœuvres militaires qui engagent dix mille hommes et soixante-dix navires de guerre des deux pays. Pour les Chinois, ces gesticulations visent surtout le terrorisme venu d'Afghanistan ou le séparatisme qui germe aussi bien chez les Ouïgours du Xinjiang que dans l'île de Taïwan. Pour les Russes, de telles manœuvres envoient un signal fort aux Tchétchènes. Et, pour les deux puissances, c'est un message au monde occidental, à l'Amérique en particulier. Il faudra compter à l'avenir avec cette alliance entre Chine et Russie.

La Chine y voit aussi un intérêt économique. Elle a conscience que son charbon ne suffit plus pour alimenter ses usines et ses centrales électriques. Elle a besoin de cent millions de tonnes de pétrole par an et mise, bien entendu, sur les gisements de Sibérie orientale.

Car c'est bien la quête d'énergie qui conduit les pas des dirigeants chinois à travers le monde, de l'Indonésie à la Birmanie et du Soudan au Gabon en passant par l'Algérie, sans guère se poser de questions sur la nature des régimes en place. La communauté internationale a demandé à la Chine d'influer sur le pouvoir soudanais pour mettre fin au conflit du Darfour. Peine perdue : Pékin refuse de « s'ingérer dans les affaires intérieures » des pays avec qui elle coopère. Mieux, la Chine préfère carrément traiter avec des dictatures militaires, comme en Birmanie, plutôt qu'avec des régimes démocratiques instables et vulnérables... Au Népal, par exemple, les forces qui ont fait chanceler la royauté portent le nom de maoïstes. On pourrait donc penser que la Chine les soutient et va défendre leur idéologie. Il n'en est rien.

Les dirigeants chinois ont toujours préféré dialoguer avec le pouvoir royal et son armée, plutôt qu'avec une guérilla imprévisible qui veut lui donner des leçons de communisme.

« À bas les têtes de chien français »

La Chine est d'abord tournée vers l'Amérique, le Japon et l'Allemagne. Dans cette vaste redistribution des cartes, la France tente de se faire une place. Elle possède deux atouts : sa réputation de peuple romantique, qui n'est pas négligeable, et le fait que Paris fut le premier pays occidental à reconnaître la République populaire. J'ai pu voir dans quel état d'esprit Pékin avait célébré le 40ᵉ anniversaire de l'établissement des relations diplomatiques avec la Chine de Mao en janvier 2004.

Le tapis rouge est immense, en largeur et en longueur. On a l'impression de ne jamais arriver à la vaste salle où attendent une cinquantaine de personnalités pour fêter ces quarante ans d'amitié entre la France et la Chine. L'endroit est bien choisi : le palais gouvernemental de Diaoyutai, en plein cœur de la Cité interdite, doté d'un grand parc de verdure et de salles de réception immenses. J'avise un petit homme seul d'une soixantaine d'années, à moitié chauve, qui semble plutôt impatient. Il commence d'emblée à m'exposer l'importance de ce jour. Je me présente en tant que correspondant de la télévision nationale française. Il me répond : « Je suis le ministre des Affaires étrangères. »

Je n'avais pas reconnu Li Zhaoxing que je croyais plus grand et, pour tout dire, moins bonhomme que ce monsieur qui engage très simplement la conversation avec moi. Il me rappelle qu'il était ambassadeur de Chine à Washington, avant de prendre la tête de la diplomatie de son pays. Il connaît bien l'Amérique, mais se félicite encore du pied de nez qu'a fait le général de Gaulle aux Américains en nouant des relations diplomatiques avec la Chine de Mao le 27 janvier 1964. Il me raconte que, pour la République populaire, ce fut l'occasion de briser son isolement. Mao sortait affaibli du Grand Bond en avant, Pékin avait rompu avec l'Union soviétique, et le face-à-face avec l'Amérique inquiétait le pouvoir chinois. Établir des relations diplomatiques avec la France représentait une ouverture de la Chine sur l'Europe. De son côté, le général de Gaulle voyait dans ces liens entre nos deux pays « le poids de l'évidence et de la raison, face à une nation plus vieille que l'histoire ». La France connaissait déjà les exactions du régime communiste, les exécutions, les camps de travail, l'absence de libertés, mais de Gaulle était bien décidé à faire ce pas, car le moment était favorable.

Edgar Faure, envoyé en éclaireur, fut donc bien accueilli à Pékin et négocia ce rapprochement en moins de deux semaines. Mais, à l'époque, Paris reconnaissait Taïwan et les Chinois exigeaient la rupture avec ce symbole de la Chine de Tchang Kaï-chek. La France reconnut donc le gouvernement de la République populaire comme seul représentant de tout le peuple chinois et se contenta d'un simple consulat à Taipei, au grand désespoir des autorités de l'île. L'ambassadeur de Taïwan en France aurait bien voulu rester à Paris et ne quitta sa chancellerie que le jour de l'arrivée du nouveau représentant de la Chine.

Le général de Gaulle souhaitait vivement récupérer notre ambassade à Pékin, dans l'ancien quartier des concessions, mais les Chinois n'appréciaient guère ce symbole. C'est finalement le prince Norodom Sihanouk qui en profitera... On proposa à Paris un bâtiment éloigné du centre du pouvoir, dans le quartier de Chaoyang. L'ambassade est toujours au même endroit.

Trois ans plus tard, en pleine révolution culturelle, les gardes rouges peignaient sur l'un des murs de la chancellerie le slogan du moment : « À bas les têtes de chien français ! » La France était menacée, encerclée, mais, au moins, nous étions dans la place et, plus tard, les Chinois nous seraient reconnaissants d'avoir été le premier pays occidental à établir des relations diplomatiques avec la jeune République populaire.

Aujourd'hui, les ambassadeurs de France qui se succèdent à Pékin se piquent de pratiquer l'art de la calligraphie pour montrer aux Chinois combien ils baignent dans leur culture et combien la France y est sensible. Dans le même esprit, ils ponctuent leurs discours de quelques mots de mandarin afin d'afficher leur volonté de posséder la langue. Sans doute ne restent-ils pas assez longtemps en poste pour intégrer la mentalité du pays, au grand désespoir des Chinois, qui font souvent passer les relations personnelles avant les relations de travail.

Dans les rédactions parisiennes, on pense encore que la reprise des relations diplomatiques avec la Chine a connu son apothéose lors d'une rencontre entre de Gaulle et Mao Zedong. Mais cette poignée de main n'a jamais existé. De Gaulle n'est jamais venu en Chine. Mao n'est jamais venu en France. Sans doute faut-il le regretter. Il aurait été passionnant d'entendre le général dresser en quelques phrases un portrait du nouveau maître de la Chine rouge. En revanche, la diplomatie du ping-pong, lancée par l'Amérique, a bien abouti à la rencontre de Richard Nixon et du Grand Timonier.

Depuis ce temps, plusieurs puissances occidentales sont venues doubler la présence française en Chine. Nous naviguons entre le 10e et le 12e rang parmi les pays qui traitent avec l'Empire rouge. Le mot d'ordre dans le monde des affaires reste le même : « La Chine ? Il faut y être ! » Mais, au-delà de l'exotisme, exister en

Chine n'est pas forcément aisé ni rentable, même si huit cents entreprises françaises sont implantées dans l'Empire rouge et font travailler deux cent cinquante mille personnes.

Régulièrement, le chef de l'État ou le Premier ministre français viennent donner le coup de pouce symbolique à de nouveaux accords entre la France et la Chine. Dans le quartier de Zhongnanhai, à côté de la Cité interdite, d'où le pouvoir communiste gère le pays, les dirigeants aiment recevoir leurs invités dans des fauteuils immenses, dominés par une gigantesque peinture des Huangshan, ces montagnes représentant le romantisme à la chinoise.

Le rite est immuable : l'arrivée de l'hôte sur le tapis rouge, la poignée de main avec le chef de l'État, puis les dix secondes consacrées aux photographes et aux caméras, avant l'expulsion sans ménagement des journalistes présents. La dimension des fauteuils blancs est destinée à faire en sorte que les interlocuteurs puissent garder leurs distances. Un espace est aussi réservé à des tablettes en bois sur lesquelles le thé est servi, mais il est de bon goût de ne pas y toucher.

La diplomatie française dans la bataille du Sras

En six années passées en Chine, j'ai vu débarquer deux chefs d'État français et trois Premiers ministres, ce qui est peu par rapport au rythme accéléré des visites des chanceliers allemands, qui viennent au moins deux fois par an. Mais l'Allemagne est le troisième partenaire de la Chine, devant nous.

La visite la plus marquante restera, pour moi, celle de Jean-Pierre Raffarin, chef du gouvernement français. Au printemps 2003, nous sommes en pleine épidémie de Sras et tous les hommes politiques étrangers annulent leur voyage, comme si la Chine avait la peste. Le Premier ministre britannique Tony Blair et le vice-président américain Dick Cheney annoncent qu'ils ne viendront pas : une claque pour le pouvoir chinois.

Un lourd suspense plane sur la visite officielle à Pékin que doit effectuer Jean-Pierre Raffarin. Son entourage pense qu'il y a un risque pour lui-même et pour ses collaborateurs. La menace en cette période est de mettre les gens en quarantaine à leur retour en France, mais on imagine mal un Premier ministre s'enfermer chez lui pendant quinze jours après un voyage à Pékin. L'ambassadeur Jean-Pierre Lafon l'encourage pourtant à venir : « Vous ne risquez pas grand-chose, et les Chinois s'en souviendront. »

Il avait raison. Aujourd'hui encore, les Chinois ne manquent pas de citer cette France qui les a soutenus dans les moments difficiles... Jean-Pierre Raffarin ne reste pas plus de quarante-huit heures à Pékin et ne bouge pas beaucoup dans la capitale. Il regarde avec étonnement les Chinois à vélo portant le masque blanc sur le visage. Son entourage est réduit au minimum. Même les journalistes qui, d'habitude, se pressent pour accompagner un chef de gouvernement en visite officielle dans un pays exotique sont étrangement absents. Les rédactions parisiennes les ont empêchés de venir afin qu'ils ne rapportent pas l'épidémie au retour... Sylvain Giaume, notre cameraman, doit même filmer pour toutes les chaînes de télévision françaises, selon un accord jamais vu passé entre les rédactions.

M. Raffarin se contente d'évoluer dans un périmètre restreint qui va du Novotel de Wangfujinq à la Cité interdite et au centre du pouvoir politique de Zhongnanhai. Il n'accorde qu'une seule visite à un projet français, à dix minutes à pied de son hôtel : l'opéra de Pékin, que construit l'architecte Paul Andreu, derrière le palais du Peuple et dont l'esthétique est régulièrement contestée par les Pékinois. Le chantier est en sommeil, les ouvriers sont rentrés chez eux, effrayés par l'épidémie. En soirée, le Premier ministre reçoit ce qui reste de la communauté française dans une salle fermée de son hôtel pour nous confirmer que la Chine va nous commander trente Airbus. Tout le personnel porte le masque et les gants blancs ; des invités se sont couverts la bouche pour écouter son exposé, ce qui agace profondément Jean-Pierre Raffarin... C'est ensuite le retour accéléré vers Paris. La France a marqué un point en Chine.

Elle en marquera un autre une année plus tard. À l'automne 2000, Jacques Chirac et le président chinois Jiang Zemin étaient convenus d'organiser des « années croisées », vaste échange culturel entre la France et la Chine. Les deux hommes n'eurent sans doute pas idée du succès qu'elles allaient connaître. Après l'année de la Chine en France, on a vu démarrer à Pékin, à l'automne 2004, une bonne centaine d'expositions, avec, notamment, « les impressionnistes français », symbolisés par *Le Fifre* de Manet.

Pour les Chinois, le dernier chic était, bien sûr, de se faire photographier devant quelque tableau de maître français. Ce qui fut un casse-tête pour les conservateurs de musées de France devint une aventure artistique sans précédent pour le public chinois. Un million de visiteurs verront ainsi cette cinquantaine de tableaux exposés au musée des Beaux-Arts de Pékin et des dizaines d'autres expositions.

Jean-Michel Jarre avait été choisi pour donner le coup d'envoi de l'année de la France en Chine. Un choix contesté, surtout en France, pour représenter notre culture, mais sa musique électronique à la Cité interdite, rythmée par les rayons laser, n'a pas semblé choquer le public, trié sur le volet. Le concert était retransmis sur écran géant place Tiananmen, et seules les unités de travail officiellement invitées avaient le droit d'y assister :

pas question de laisser la jeunesse chinoise pénétrer sur ce lieu hautement symbolique pour écouter un concert de musique moderne. La police craignait d'être débordée et de voir un tel rassemblement dégénérer en manifestation.

Paris avait de même envoyé la patrouille de France en Chine pour faire des figures aériennes au-dessus de Pékin et montrer aux Chinois ce dont nous sommes capables. Mais le brouillard et la pollution empêchaient toute visibilité et les Alpha-jets tricolores se sont contentés de quelques passages en rase-mottes sur une base militaire chinoise ouverte au public.

L'apothéose de cette année de la France en Chine aurait dû être un gigantesque pique-nique sur la Grande Muraille, réunissant des centaines de personnalités du monde culturel et politique, ainsi que le petit peuple. Mais, le jour dit, les organisateurs découvrent que la Muraille à Badaling est classée Monument historique et les activités qui s'y déroulent, soigneusement sélectionnées. Les stands de fromage français, de foie gras et de vin de Bordeaux doivent se replier sur la terrasse d'entrée.

La présence du ministre chinois de la Culture entraîne la fermeture de l'accès au site par la route. Les curieux sont maintenus à l'extérieur par des forces de police positionnées sur la Muraille, alors que ce pique-nique s'adressait aussi à la population. Le policier à qui je demande pourquoi, par exemple, cette famille de paysans ne peut pas accéder aux étals pour y goûter des produits français me répond, sûr de lui : « C'est inutile, ces gens-là n'iront jamais en France ! »

Les Chinois ont montré leur curiosité pour notre pays et il serait injuste de ne pas reconnaître les aspects positifs de ces années France-Chine, qui ont donné un sérieux coup de pouce aux relations entre Paris et Pékin. Notre pays a bonne réputation pour sa culture, son savoir-faire, sa tradition, ses liens historiques avec la République populaire. Quand on dit qu'on est français à un Chinois, il cite en vrac Zidane, Napoléon ou Laure Manaudou. Il n'y a pas de méfiance dans sa réaction, ce qui n'est pas le cas quand il se trouve face à un Américain ou un Japonais. Mais aujourd'hui, la polémique lancée sur la présence ou non du chef de l'État français aux cérémonies des Jeux olympiques, les mésaventures de la flamme dans les rues de Paris, le soutien de notre pays à la cause du Tibet et les appels au boycott des produits français risquent d'affecter durablement les sentiments que les Chinois nourrissent envers la France.

Clandestins et « têtes de serpent »

Le rapprochement des années 2000 entre Paris et Pékin a eu, bien sûr, des conséquences sur la politique d'immigration entre la Chine et la France. La communauté chinoise installée dans l'Hexagone est évaluée aujourd'hui à quelque deux cent mille personnes.

Autrefois, la plupart venaient de la ville de Wenzhou, dans la province de Zhejiang, sur la côte Est, au sud de Shanghai. C'est de là qu'étaient partis les cent cinquante mille ouvriers chinois qui ont remplacé, dans les usines françaises, les poilus envoyés au front pendant la Première Guerre mondiale. Aujourd'hui, les immigrés chinois installés en France viennent surtout du Dongbei, la région du Nord-Est, la plus touchée par les faillites d'entreprises d'État.

Ces gens n'ont rien à perdre et tentent leur chance à l'étranger, prêts à travailler dans tous les domaines : restauration, ateliers textiles, jeux, prostitution, etc. À Shenyang, on peut voir des dizaines d'agences de voyages, qui ont pignon sur rue et organisent les départs des candidats à destination de l'Europe, et pas seulement des touristes.

Souvent, les travailleurs migrants arrivent clandestinement grâce à un transfert par l'Azerbaïdjan. Ils ont payé des passeurs plus de 10 000 euros et doivent ensuite rembourser pendant plusieurs années ce qu'ils ont emprunté. Le ministère français de l'Intérieur estime que cinquante mille Chinois vivent en situation irrégulière en France. Comme ils ne parlent pas le français la plupart du temps, ils sont obligés de se placer sous la protection d'un patron qui va les exploiter.

Nous avons souvent du mal à comprendre pourquoi ces Chinois, qui viennent d'un pays plein d'avenir et promis au plus fort développement économique de la planète, veulent s'installer sur notre vieux continent.

Il y a d'abord chez eux le prestige de l'exil. Nous avions vu ces banderoles sur les façades des usines de la province du Zhejiang, où il est écrit : « Celui qui gagne sa vie outre-mer est un héros ! » On trouve aussi une grande naïveté dans la conception qu'ont les Chinois de la vie à l'étranger. Même si la Chine progresse socialement et économiquement, elle reste un pays rude pour vivre, et les Chinois placent beaucoup d'espoir dans le travail qu'ils pourront trouver en dehors des frontières de l'empire. Un simple constat sans doute naïf : ils gagnent en général dix fois plus que dans leur pays, mais doivent se saigner pour vivre et ne pas trop dépenser. Leurs compatriotes, installés en France ou qui reviennent en Chine, ne cherchent pas à les décourager, car cela voudrait dire qu'eux-mêmes ont échoué dans leur entreprise. Ceux qui se lancent dans l'aventure sont donc mal informés et, plus tard, ils en paieront le prix.

Quand je m'installe à Pékin, en septembre 2000, l'Europe et la Chine sont encore sous le choc de l'affaire des clandestins de Douvres : cinquante-huit ouvriers migrants étouffés dans la remorque d'un poids lourd qui venait de Hollande et tentait de passer en Angleterre. La fenêtre d'aération du camion avait été fermée. Quand je quitte la Chine, à l'automne 2007, l'affaire de cette Chinoise de cinquante et un ans qui s'est jetée par la fenêtre depuis son modeste domicile à Paris pour échapper à un contrôle de police défraie la chronique en France. Deux affaires symboliques des drames de l'immigration clandestine.

Dès mon arrivée en Chine, j'ai rapidement demandé l'autorisation d'aller filmer la ville de Fuqing, dans la province côtière du Fujian, d'où les clandestins de Douvres étaient originaires. Les confrères qui s'étaient rendus spontanément sur place quand l'affaire a éclaté, pour rencontrer les proches des victimes, avaient été refoulés et priés de reprendre l'avion pour Pékin. Nous avons voulu faire les démarches en bonne et due forme, mais impossible d'approcher les familles de ces clandestins : « Elles sont trop éprouvées, nous dit-on quand on arrive sur place ; il faut comprendre leur chagrin, elles ne souhaitent pas parler à la presse... »

En fait, les proches des victimes accusaient carrément les mafias, les « têtes de serpent » comme on les appelle ici, d'être responsables de la mort des cinquante-huit passagers chinois du camion de Douvres. Les autorités locales vont donc nous balader pour éviter que nous ne prenions contact avec les familles. Elles nous conduiront chez des émigrés de retour au pays qui ont « réussi » en Europe et pu faire construire sur leur terre natale une de ces maisons recouvertes de carrelage blanc et équipées de vitres teintées, comme les Chinois les aiment. Le secrétaire du Parti nous fera découvrir la nouvelle zone industrielle, signe de prospérité pour la région qui montre bien qu'à présent il est devenu inutile d'aller chercher du travail à l'étranger.

Mais pas de contact avec les familles en colère. Nous en saurons finalement très peu sur les motivations des hommes tombés entre les mains de ces réseaux mafieux et autres triades qui alimentent ce trafic humain entre la Chine et l'Europe.

Depuis mon retour en France, j'aime parcourir les rues du quartier de Belleville pour y retrouver un peu de l'atmosphère chinoise. Là se jouera le drame de Liu Chunlan, femme du Dongbei débarquée à Paris en 2004, avec un simple visa de tourisme. Elle avait perdu son travail dans une usine textile de Shenyang qui avait dû mettre la clé sous la porte, comme des milliers d'autres. Son ambition était que son fils unique fasse un beau mariage ; elle a cédé à la tentation des passeurs, qui lui ont demandé 7 000 euros pour lui trouver un travail en France et la conduire jusque-là. Ce fut un billet sans retour. Liu Chunlan avait trouvé quelques petits boulots et venait à peine de rembourser sa dette quand elle s'est jetée par la fenêtre. Elle habitait un modeste appartement qu'elle partageait avec cinq autres personnes, un dortoir plutôt qu'un domicile. Depuis deux ans, elle vivait en clandestine, car l'asile politique lui avait été refusé. Pourquoi la France ? On lui avait dit que, là-bas, la sécurité sociale existait, et elle avait le contact d'une amie. La motivation s'arrête là.

Liu Chunlan a sauté par la fenêtre du premier étage pour échapper à un contrôle de police qui ne lui était pas même destiné. Son décès a ému la France, mais pas la Chine. La presse n'en a soufflé mot. La mort d'une ouvrière clandestine à l'étranger n'est pas une information. La télévision chinoise accepte pourtant aujourd'hui d'évoquer le problème de l'émigration clandestine vers l'Europe en diffusant sur les chaînes régionales un film tourné par le Bureau international du travail (BIT). On y voit des Chinois ramasser les ordures sur les marchés aux légumes du quartier de Belleville à Paris afin de survivre. Le but est de décourager ceux qui partent vers l'Europe dans des conditions déplorables, en leur montrant la réalité qu'ils risquent de trouver au bout du chemin.

Mais le mouvement est sans doute irréversible : les Chinois s'installent un peu partout dans le monde et, notamment, dans le tiers-monde, en Afrique surtout. L'ouverture du pays les pousse à s'expatrier pour leur entreprise ou pour monter eux-mêmes leur propre affaire. La Chine n'est plus l'Empire du Milieu, tourné sur lui-même ; la vie des Chinois se construit aussi ailleurs et nous devons apprendre à vivre et à composer avec eux.

Conclusion

Y a-t-il une vie après les Jeux ?

Les autorités chinoises ont d'abord déclaré qu'à l'occasion des Jeux olympiques elles feraient un effort en matière de droits de l'homme. Mais le soulèvement et la répression au Tibet du mois de mars 2008 ont anéanti ces espoirs. Les péripéties du voyage de la flamme olympique, les multiples manifestations d'hostilité devant les ambassades de Chine partout dans le monde ont placé le pouvoir chinois sur la défensive. Il a estimé qu'il n'avait pas de comptes à rendre à la communauté internationale sur sa politique en matière des droits de l'homme.

Fallait-il donc confier à Pékin l'organisation des Jeux de 2008? La réponse est oui. Une telle rencontre aura permis de bousculer les Chinois dans leurs habitudes, en accueillant des milliers d'athlètes de tous les coins du globe, mais aussi plus de vingt mille journalistes, autant de témoins qui auront pu mieux pénétrer et observer le pays malgré les obstacles. Tous les problèmes de l'Empire rouge auront été montrés du doigt à cette occasion et exposés à la face du monde.

Pareil événement aura permis une meilleure connaissance de nos différents modes de vie. Les Chinois ont pu réviser leur éducation au quotidien, apprendre quelques mots de langues étrangères et même quelques bonnes manières, découvrir aussi dans quel état d'esprit se trouvaient les pays étrangers, réfléchir enfin au développement anarchique de leur pays et ses conséquences pour l'écologie.

Mais Pékin entend bien profiter de cette reconnaissance internationale que lui a value l'organisation des JO pour afficher sa fermeté dans tous les domaines et faire passer un certain nombre de messages au peuple chinois et au monde. La lutte contre les dissidents, les créateurs de « blogs révolutionnaires » ou les « avocats aux pieds nus » se poursuivra malgré les pressions internationales. Le régime continuera aussi à développer et perfectionner sa police du web, maintenant sur le pays cette « grande muraille électronique » qui permet de filtrer et de contrôler l'information. Le regain de croyances ne sera pas réprimé dès l'instant où il ne touche pas le domaine politique. Mais la scène olympique aura permis aux Chinois de montrer qu'ils sont maîtres chez eux et qu'ils ne céderont pas aux pressions internationales visant à leur imposer une conduite en matière de droits de l'homme.

Enfin, la Chine ne transigera pas face aux velléités d'indépendance et aux idées séparatistes qui continuent de planer de l'autre côté du détroit de Taïwan. De même, elle continuera de clamer haut et fort que le Tibet est chinois et le restera.

Les dirigeants chinois vont profiter des retombées de ces Jeux pour demander une nouvelle fois la fin de l'embargo sur les armes décrété en 1989 après le massacre de la place Tiananmen. La France et l'Allemagne ont longtemps plaidé pour la levée de cette mesure qui n'aurait plus de raison d'être. Mais les États-Unis veulent maintenir ce boycott symbolique. La Chine déclare à qui veut l'entendre qu'elle n'a que faire des armes que l'Occident pourrait lui livrer. Elle est capable d'assurer sa défense avec celles qu'elle fabrique. Mais le pouvoir de Pékin fait de la levée du boycott une question de principe et d'honneur. Les pays qui ne dénonceront pas cette « mesure honteuse et inutile » auront à le regretter.

La prochaine étape du rayonnement de la Chine dans le monde sera l'Exposition universelle de 2010, à Shanghai qui aura pour thème « meilleure ville, meilleure vie », un sujet qui touche particulièrement ce pays en plein développement et qui l'aidera sans doute à mieux résoudre ses problèmes de circulation, de pollution et de concentration urbaine.

Il faut donc se féliciter d'avoir confié à la Chine l'organisation des Jeux de 2008, mais il faut éviter que l'Empire rouge n'en profite pour bander ses muscles et donner des leçons au monde extérieur. Il reste tant à faire dans ce pays.

*Cet ouvrage a été composé
par Atlant'Communication
aux Sables-d'Olonne (Vendée)*

Impression réalisée sur CAMERON par

C P I
Brodard & Taupin

*La Flèche (Sarthe)
en mai 2008
pour le compte des Éditions de l'Archipel
département éditorial
de la S.A.R.L. Écriture-Communication*

Imprimé en France
N° d'impression : 47350
Dépôt légal : juin 2008